문법 탄탄
WRITING 2

문장의 기본편 ❷

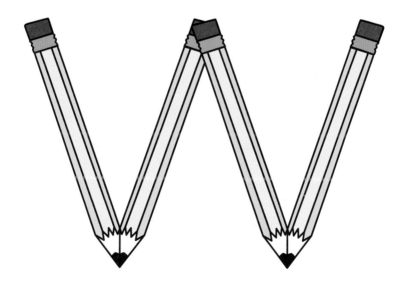

Happy House

How to Use This Book

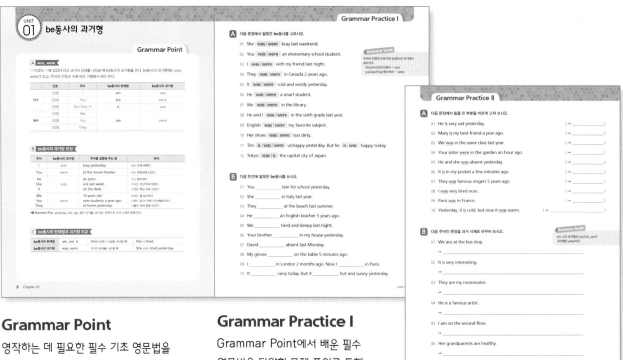

Grammar Point

영작하는 데 필요한 필수 기초 영문법을
문장의 구조 및 예문 등과 함께 이해하기
쉽게 설명하였습니다.

Grammar Practice I

Grammar Point에서 배운 필수
영문법을 다양한 문제 풀이를 통해
기초 실력을 다지고, 각 Unit의 주요
문장들의 구조에 익숙해지도록
하였습니다.

Grammar Practice II

Grammar Practice I보다 심화한 문제 풀이를
통해 필수 영문법과 각 Unit의 주요 문장들을
마스터하도록 하였습니다.

Prep Writing

본격적인 영작에 들어가기 전에 준비하는
단계로 학습한 필수 영문법을 문장에 적용하여
올바른 문장 쓰기를 연습할 수 있도록
하였습니다.

Sentence Writing

앞에서 배운 필수 영문법과 단계적 준비과정을
통해 익힌 실력으로 본격적인 완전한
영어문장 쓰기를 할 수 있도록 하였습니다.

Self-Study

필수 영문법을 토대로 한 올바른 영어문장 쓰기를 스스로 마무리하는 단계로
영문법에 대한 이해도와 자신의 영작 실력을 점검해 볼 수 있도록 하였습니다.

Actual Test

각 Chapter에서 배운 내용들을 통합하여 내신에 자주 출제되는 유형의 객관식
문제와 서술형 문제로 구성하여 학교 내신 대비뿐만 아니라 자신의 실력을 평가해
볼 수 있도록 하였습니다.

정답 및 해설

본문 문제들의 정답 및 명쾌한 해설과 문장의 해석을 수록하였습니다.
틀린 문제와 해석이 되지 않는 문제들을 정답지를 통해 확인하면서
다시 한 번 생각하고 점검해 볼 수 있습니다.

Contents

Chapter 01

be동사의 과거

✔ 영작 Key Point

be동사의 과거형	be동사의 과거 부정문	be동사의 과거 의문문
I + was	I was + not	Was I ~?
You/We/They + were	You/We/They were + not	Were you/we/they ~?
He/She/It + was	He/She/It was + not	Was he/she/it ~?

UNIT
01

be동사의 과거형

A was, were

'~이었다, ~에 있었다'라고 과거의 상태를 나타낼 때 be동사의 과거형을 쓴다. be동사의 과거형에는 was, were가 있고, 주어의 인칭과 수에 따라 구별해서 써야 한다.

	인칭	주어	be동사의 현재형	be동사의 과거형
단수	1인칭	I	am	was
	2인칭	You	are	were
	3인칭	He / She / It	is	was
복수	1인칭	We	are	were
	2인칭	You		
	3인칭	They		

B be동사의 과거형 문장

주어	be동사의 과거형	주어를 설명해 주는 말	해석
I	was	busy yesterday.	나는 어제 바빴다.
You	were	at the movie theater.	너는 영화관에 있었다.
He She It	was	an actor. sick last week. on the desk.	그는 배우였다. 그녀는 지난주에 아팠다. 그것은 책상 위에 있었다.
We You They	were	10 years old. new students a year ago. at home yesterday.	우리는 열 살이었다. 너희는 일 년 전에 신입생들이었다. 그들은 어제 집에 있었다.

➜ **Grammar Plus** yesterday, last, ago 등은 과거를 나타내는 표현으로 과거 시제와 함께 쓴다.

C be동사의 현재형과 과거형 비교

be동사의 현재형	am, are, is	현재의 상태나 사실을 나타낼 때	She is tired.
be동사의 과거형	was, were	과거의 상태를 나타낼 때	She was tired yesterday.

A 다음 문장에서 알맞은 be동사를 고르시오.

01 She   was | were   busy last weekend.

02 You   was | were   an elementary school student.

03 I   was | were   with my friend last night.

04 They   was | were   in Canada 2 years ago.

05 It   was | were   cold and windy yesterday.

06 He   was | were   a smart student.

07 We   was | were   in the library.

08 He and I   was | were   in the sixth grade last year.

09 English   was | were   my favorite subject.

10 Her shoes   was | were   too dirty.

11 Tim   is | was | were   unhappy yesterday. But he   is | was   happy today.

12 Tokyo   was | is   the capital city of Japan.

> **Grammar Guide**
>
> 주어의 인칭과 수에 따라 be동사의 과거형이 달라진다.
> · I/he/she/it/단수명사 → was
> · you/we/they/복수명사 → were

B 다음 빈칸에 알맞은 be동사를 쓰시오.

01 You _____ late for school yesterday.

02 She _____ in Italy last year.

03 They _____ at the beach last summer.

04 He _____ an English teacher 5 years ago.

05 We _____ tired and sleepy last night.

06 Your brother _____ in my house yesterday.

07 David _____ absent last Monday.

08 My gloves _____ on the table 5 minutes ago.

09 I _____ in London 2 months ago. Now I _____ in Paris.

10 It _____ rainy today. But it _____ hot and sunny yesterday.

Grammar Practice II

A 다음 문장에서 밑줄 친 부분을 바르게 고쳐 쓰시오.

01 He <u>is</u> very sad yesterday.   (➡ _____)

02 Mary <u>is</u> my best friend a year ago.   (➡ _____)

03 We <u>was</u> in the same class last year.   (➡ _____)

04 Your sister <u>were</u> in the garden an hour ago.   (➡ _____)

05 He and she <u>was</u> absent yesterday.   (➡ _____)

06 It <u>is</u> in my pocket a few minutes ago.   (➡ _____)

07 They <u>was</u> famous singers 5 years ago.   (➡ _____)

08 I <u>was</u> very tired now.   (➡ _____)

09 Paris <u>was</u> in France.   (➡ _____)

10 Yesterday, it <u>is</u> cold, but now it <u>was</u> warm.   (➡ _____, _____)

B 다음 주어진 문장을 과거 시제로 바꾸어 쓰시오.

> **Grammar Guide**
> • am, is의 과거형은 was이고, are의 과거형은 were이다.

01 We are at the bus stop.

➡ _____

02 It is very interesting.

➡ _____

03 They are my roommates.

➡ _____

04 He is a famous artist.

➡ _____

05 I am on the second floor.

➡ _____

06 Her grandparents are healthy.

➡ _____

A 다음 주어진 우리말과 일치하도록 빈칸에 알맞은 말을 쓰시오.

01 우리는 지난 토요일에 동물원에 있었다.

→ _____ _____ at the zoo last Saturday.

02 수학은 내가 가장 좋아하는 과목이었다.

→ Math _____ my favorite subject.

03 나는 2010년에 하와이에 있었다.

→ _____ _____ in Hawaii in 2010.

04 어제는 월요일이었다. 오늘은 화요일이다.

→ It _____ Monday yesterday. It _____ Tuesday today.

05 그 쌍둥이들은 작년에 군인들이었다. 그들은 지금 학생들이다.

→ The twins _____ soldiers last year. _____ _____ students now.

B 다음 보기와 같이 주어진 단어와 be동사의 과거형을 사용하여 문장을 만드시오.

보기 he / thin last year → _He was thin last year._

01 she / my English teacher → _____

02 you / 13 years old last year → _____

03 he / a singer 10 years ago → _____

04 it / May 5 yesterday → _____

05 my parents / in China last month → _____

06 he and I / free yesterday → _____

07 the cats / on the roof → _____

08 Mr. Brown / busy last week → _____

Sentence Writing

Writing Guide

· 주어가 I/he/she/it/단수명사일 때 be동사의 과거형은 was를 쓴다.　→　**She** was **sick yesterday.**
· 주어가 you/we/they/복수명사일 때 be동사의 과거형은 were를 쓴다.　→　**They** were **tired last night.**

A 다음 우리말과 일치하도록 주어진 단어를 올바르게 배열하시오.

01 나의 부모님은 지난밤에 화가 나셨다. (parents, my, angry, last night, were)

　➡ _____

02 James는 10년 전에 유명한 배우였다. (was, a, actor, 10 years ago, James, famous)

　➡ _____

03 지난 목요일은 나의 생일이었다. (my, last Thursday, was, it, birthday)

　➡ _____

04 네 양말들은 어제 바구니 안에 있었다. (in the basket, yesterday, your, were, socks)

　➡ _____

B 다음 주어진 말을 이용하여 우리말을 영작하시오.

01 우리는 어제 수영장에 있었다. (in the swimming pool)

　➡ _____

02 Anderson 씨는 정직한 경찰이었다. (honest)

　➡ _____

03 지난 주말에 바람이 불고 비가 왔다. (last weekend)

　➡ _____

04 그녀의 사촌은 작년에 5학년이었다. (in the fifth grade)

　➡ _____

05 그들은 가난하고 불행했다. (poor, unhappy)

　➡ _____

A 다음 문장에서 알맞은 것을 고르시오.

01 They   was | were | are   at the concert last weekend.

02 The movie   is | was | were   boring yesterday.

03 I   am | was   fat last year, but I   am | was   slim now.

04 The puppies   was | were | are   in the yard an hour ago.

05 Yesterday, it   is | was | were   Friday. It   is | was | were   Saturday today.

B 다음 주어진 우리말과 일치하도록 빈칸에 알맞은 말을 쓰시오.

01 그녀는 지난 주말에 집에 있었다. 우리도 또한 집에 있었다.

→ She ＿＿＿＿＿＿ at home last weekend. We ＿＿＿＿＿＿ at home, too.

02 그 창문은 어제 더러웠는데, 지금은 깨끗하다.

→ The window ＿＿＿＿＿＿ dirty yesterday, but it ＿＿＿＿＿＿ clean now.

03 개는 오래전에 야생동물이었다. 지금은 반려동물이다.

→ Dogs ＿＿＿＿＿＿ wild animals a long time ago. Now, they ＿＿＿＿＿＿ pets.

C 다음 주어진 말을 이용하여 우리말을 영작하시오.

01 Helen은 2년 전에 대학생이었다. (university student)

→ ＿＿＿＿＿＿＿＿＿＿＿＿＿＿＿＿＿＿＿＿＿＿＿＿＿＿＿＿＿＿＿

02 작년 겨울은 매우 따뜻했다. (warm)

→ ＿＿＿＿＿＿＿＿＿＿＿＿＿＿＿＿＿＿＿＿＿＿＿＿＿＿＿＿＿＿＿

03 그들은 어제 회의에 늦었다. (for the meeting)

→ ＿＿＿＿＿＿＿＿＿＿＿＿＿＿＿＿＿＿＿＿＿＿＿＿＿＿＿＿＿＿＿

04 우체국은 은행 옆에 있었다. (next to the bank)

→ ＿＿＿＿＿＿＿＿＿＿＿＿＿＿＿＿＿＿＿＿＿＿＿＿＿＿＿＿＿＿＿

UNIT 02 be동사의 과거 부정문과 의문문

A be동사의 과거 부정문

be동사의 과거 부정문은 be동사의 과거형 was, were 뒤에 not을 쓰고, '~이 아니었다, ~하지 않았다'라고 해석한다.

주어	be동사의 과거형 + not	주어를 설명해 주는 말	해석
I	was not (= wasn't)	busy yesterday.	나는 어제 바쁘지 않았다.
You	were not (= weren't)	at home.	너는 집에 없었다.
He She It	was not (= wasn't)	an English teacher. sleepy last night. hot last summer.	그는 영어 선생님이 아니었다. 그녀는 지난밤에 졸리지 않았다. 지난 여름에 덥지 않았다.
We You They	were not (= weren't)	in Seoul last week. late for school. 10 years old.	우리는 지난주에 서울에 없었다. 너희는 학교에 늦지 않았다. 그들은 열 살이 아니었다.

➕ **Grammar Plus** be동사의 과거 부정문도 줄여서 쓸 수 있다. be동사와 not을 줄여서, was not → wasn't, were not → weren't로 쓴다.

B be동사의 과거 의문문

be동사의 과거 의문문은 주어와 be동사의 과거형 was, were의 위치를 바꾸고, 맨 뒤에 물음표를 붙인다.
be동사의 과거 의문문은 '~이었습니까?'라고 해석하며, 대답은 Yes/No로 한다.

be동사의 과거형	주어	주어를 설명해 주는 말	해석	대답	
				긍정	부정
Was	I	tall?	내가 키가 컸었니?	Yes, you were.	No, you weren't.
Were	you	busy yesterday?	너는 어제 바빴니?	Yes, I was.	No, I wasn't.
Was	he she it	a doctor? in London? rainy yesterday?	그는 의사였니? 그녀는 런던에 있었니? 어제 비가 왔었니?	Yes, he was. Yes, she was. Yes, it was.	No, he wasn't. No, she wasn't. No, it wasn't.
Were	we you they	late for school? 10 years old? at home?	우리는 학교에 늦었니? 너희는 열 살이었니? 그들은 집에 있었니?	Yes, you/we were. Yes, we were. Yes, they were.	No, you/we weren't. No, we weren't. No, they weren't.

A 다음 문장에서 알맞은 것을 고르시오.

01 She   was not | were not   a nurse 2 years ago.

02 We   were not | was not   hungry yesterday.

03   Was you | Were you   in China last year?

04   Was I | Am I   late for school yesterday?

05   Was | Were   it snowy last night?

06 They   weren't | wasn't   my classmates.

07   Were | Was   your mother at home?

08 The movie   was not | were not   interesting.

09   Were | Was   he and she in the same class last year?

10 Your question   were | was   not difficult.

11 Were you in the library? Yes,   you | I   was | were .

12 Was her suitcase heavy? No,   she | it   isn't | wasn't .

Grammar Guide

• be동사의 과거 부정문은 be동사의 과거형 뒤에 not이 온다.
• be동사의 과거 의문문은 be동사의 과거형이 주어 앞에 온다.

B 다음 질문에 대한 대답을 완성하되 부정의 대답은 축약형으로 쓰시오.

01 Ⓐ Were you a pilot 5 years ago?   Ⓑ Yes, _____.

02 Ⓐ Was he in the third grade?   Ⓑ Yes, _____.

03 Ⓐ Were they famous singers?   Ⓑ No, _____.

04 Ⓐ Was it Children's Day yesterday?   Ⓑ No, _____.

05 Ⓐ Was I rude last night?   Ⓑ No, _____.

06 Ⓐ Were the flowers in the vase?   Ⓑ Yes, _____.

07 Ⓐ Was your sister short last year?   Ⓑ Yes, _____.

08 Ⓐ Were her shoes expensive?   Ⓑ Yes, _____.

09 Ⓐ Was Mr. Anderson in Korea last month? Ⓑ No, _____.

10 Ⓐ Was his birthday party fun?   Ⓑ No, _____.

A 다음 문장에서 밑줄 친 부분을 바르게 고쳐 쓰시오.

01 I <u>not was</u> 13 years old.   (→ _____)

02 We <u>wasn't</u> on the first floor an hour ago.   (→ _____)

03 <u>Is</u> your brother at home yesterday?   (→ _____)

04 <u>Are</u> you busy last year?   (→ _____)

05 We <u>don't be</u> sick last weekend.   (→ _____)

06 James <u>aren't</u> at school last Friday.   (→ _____)

07 <u>Was</u> they in Seoul last month?   (→ _____)

08 My sister and I <u>are</u> not at the zoo yesterday.   (→ _____)

09 <u>Were</u> he absent last Tuesday?   (→ _____)

10 <u>Is</u> Mr. Baker a teacher 5 years ago? No, he <u>weren't</u>.   (→ _____ , _____)

B 다음 주어진 문장을 지시대로 바꾸어 쓰시오.

01 They were at the party last night.

부정문 ⊢ _____

02 I was angry an hour ago.

부정문 ⊢ _____

03 The weather was hot and humid.

부정문 ⊢ _____

04 You were busy yesterday.

의문문 ⊢ _____

05 The children were good soccer players.

의문문 ⊢ _____

06 Jason was in England 5 years ago.

의문문 ⊢ _____

A 다음 주어진 우리말과 일치하도록 빈칸에 알맞은 말을 쓰시오.

01 나는 5년 전에 키가 크지 않았다.

➡ _____ _____ _____ tall 5 years ago.

02 너희는 겨울에 태어났니?

➡ _____ _____ born in winter?

03 우리는 작년에 같은 반이 아니었다.

➡ _____ _____ _____ in the same class last year.

04 어제는 휴일이었니?

➡ _____ _____ a holiday yesterday?

05 그녀는 10분 전에 차고에 없었다.

➡ _____ _____ _____ in the garage 10 minutes ago.

B 다음 보기와 같이 주어진 단어와 be동사의 과거형을 사용하여 지시대로 문장을 만드시오.

보기 it / sunny yesterday   부정문 It was not (= wasn't) sunny yesterday.

01 they / 13 years old last year

부정문 _____

02 she / tired last weekend

부정문 _____

03 you / at the shopping mall yesterday

의문문 _____

04 his cats / small 2 years ago

의문문 _____

05 your sister / sick last night

의문문 _____

Sentence Writing

Writing Guide

- be동사의 과거 부정문은 「주어 + was/were + not」 순으로 쓴다. → He was not sick.
- be동사의 과거 의문문은 「Was/Were + 주어 ~?」 순으로 쓴다. → Were they at home?

A 다음 우리말과 일치하도록 주어진 단어를 올바르게 배열하시오.

01 우리는 지난 여름에 캐나다에 없었다. (in Canada, we, last summer, not, were)

  ➡ _____

02 어제 서울에 눈이 오지 않았다. (snowy, was, yesterday, not, in Seoul, it)

  ➡ _____

03 그의 아버지는 10년 전에 의사이셨니? (doctor, was, 10 years ago, a, his father, ?)

  ➡ _____

04 너희는 어젯밤에 추웠니? (cold, were, last night, you,?) 응, 그랬어. (were, yes, we)

  ➡ _____

B 다음 주어진 말을 이용하여 우리말을 영작하시오.

01 그는 행복한 왕자가 아니었다. (happy prince)

  ➡ _____

02 네 지갑은 어제 차 안에 있었니? (wallet, in the car)

  ➡ _____

03 나는 한 시간 전에 1층에 없었다. (on the first floor)

  ➡ _____

04 그 영어 시험들은 어렵지 않았다. (exam)

  ➡ _____

05 그들은 작년에 같은 반이었니? (in the same class) 응, 그랬어.

  ➡ _____

A 다음 문장에서 알맞은 것을 고르시오

01 We was not | were not rich 10 years ago.

02 Was | Were Penny your best friend in kindergarten?

03 She wasn't | weren't in the kitchen a few minutes ago.

04 Was | Were the computer games fun?

05 Was | Were your hair long last year? Yes, it | they   was | were .

B 다음 주어진 우리말과 일치하도록 빈칸에 알맞은 말을 쓰시오.

01 그곳은 5년 전에 큰 도시가 아니었다.

➡ It _____ _____ a big city 5 years ago.

02 그들은 지난 주말에 박물관에 있었니?

➡ _____ _____ in the museum last weekend?

03 네 남동생은 어제 화가 나 있었니? 아니, 그렇지 않았어.

➡ _____ your brother angry yesterday? No, _____ _____.

C 다음 주어진 말을 이용하여 우리말을 영작하시오.

01 그는 작년에 기술자가 아니었다. (engineer)

➡ _____

02 너는 어제 해변에 있었니? 응, 그랬어. (at the beach)

➡ _____

03 그녀는 지난 월요일에 결석하지 않았다. (absent)

➡ _____

04 네 안경은 비쌌니? (expensive) 아니, 그렇지 않았어.

➡ _____

Actual Test

[01-02] 다음 빈칸에 들어갈 수 있는 것을 고르시오.

01 We _____ elementary school students last year.

    ① is   ② are   ③ am   ④ were   ⑤ was

02 _____ your father in the car a few minutes ago?

    ① Are   ② Is   ③ Was   ④ Were   ⑤ Am

[03-04] 다음 빈칸에 들어갈 수 <u>없는</u> 것을 고르시오.

03 _____ wasn't late for school last Friday.

    ① I   ② James   ③ My sister   ④ She   ⑤ He and I

04 Were _____ in Paris two months ago?

    ① your brother   ② you   ③ the students   ④ they   ⑤ we

[05-06] 다음 빈칸에 알맞은 말이 바르게 짝지어진 것을 고르시오.

05 My cousins _____ sick last week, but they _____ healthy now.

    ① were, are   ② are, are   ③ are, were   ④ was, are   ⑤ were, were

06 Yesterday, it _____ snowy. Today, it _____ snowy.

    ① was, wasn't   ② is, isn't   ③ were, isn't   ④ isn't, isn't   ⑤ wasn't, is

[07-08] 다음 대화의 빈칸에 들어갈 알맞은 것을 고르시오.

07   Ⓐ Were you 10 years old last year?   Ⓑ Yes, _____.

    ① I wasn't   ② I was   ③ I am   ④ I am not   ⑤ we weren't

08   Ⓐ Were her parents in England?   Ⓑ _____ They were in Italy.

    ① Yes, they were.   ② Yes, they are.   ③ No, they weren't.
    ④ No, they aren't.   ⑤ No, he wasn't.

09　다음 중 밑줄 친 부분이 바르지 못한 것을 고르시오.

① He <u>wasn't</u> sleepy last night.　② She <u>wasn't</u> in Korea now.

③ <u>Was</u> it your birthday yesterday?　④ We <u>were not</u> singers last year.

⑤ <u>Were</u> they at the bus stop an hour ago?

10　다음 중 올바른 문장이 아닌 것을 고르시오.

① I was absent last Monday.　② Her room wasn't messy yesterday.

③ Were they good students last year?　④ My gloves weren't in the drawer.

⑤ Were your brother sick last night?

11　다음 중 문장을 지시대로 바르게 바꾼 것을 고르시오.

① The movie was scary.　의문문　Is the movie scary?

② You were lazy last year.　부정문　You not were lazy last year.

③ The books were on the table.　의문문　Was the books on the table?

④ It was a sunny day yesterday.　의문문　Was it a sunny day yesterday?

⑤ He was poor two years ago.　부정문　He were not poor two years ago.

[12-13] 다음 우리말을 영작했을 때 밑줄 친 부분 중 틀린 것을 고르시오.

12　어제는 일요일이었다. 우리는 집에 없었다. 우리는 동물원에 있었다.

→ <u>It</u> <u>was</u> Sunday yesterday. We <u>wasn't</u> at home. <u>We</u> <u>were</u> at the zoo.
　　①　②　　　　　　　　　　③　　　　　④　⑤

13　그 수업은 지루했니? 아니, 그렇지 않았어. 그것은 재미있었어.

→ <u>Were</u> the class boring? <u>No</u>, <u>it</u> <u>wasn't</u>. It <u>was</u> interesting.
　　①　　　　　　　　　②　③　④　　　　⑤

14　다음 중 우리말을 올바르게 영작한 것이 아닌 것을 고르시오.

① 우리는 지난 겨울에 브라질에 있었다.　→　We were in Brazil last winter.

② 그는 유명한 배우가 아니었다.　→　He weren't a famous actor.

③ 그 채소들은 신선했니?　→　Were the vegetables fresh?

④ 네 여동생은 작년에 뚱뚱했니?　→　Was your sister fat last year?

⑤ 그와 나는 체육관에 없었다.　→　He and I were not in the gym.

15 다음 글을 읽고 빈칸에 **am**, **are**, **is**, **was**, **were** 중 알맞은 것을 쓰시오.

Yesterday, I _____ at home, but my parents _____ not at home. I _____

very hungry. But the refrigerator _____ empty. But we _____ at an Italian

restaurant now. The food here _____ delicious. I _____ full and happy.

[16-18] 다음 주어진 말을 이용하여 우리말을 영작하시오.

16 그 소파는 매우 편안했다. (comfortable)

➡ _____

17 그녀는 3년 전에 비서가 아니었다. (secretary)

➡ _____

18 너의 조부모님은 부유하셨니? (rich) 응, 그랬어.

➡ _____

[19-21] 다음 표를 보고 글을 완성하시오.

	Place	Time
I	at the birthday party	last Saturday
Sarah	at the zoo	last weekend
Billy and Tom	at the movie theater	yesterday

19 I _____ at the birthday party last Saturday. The party _____ fun.

20 Sarah _____ at the zoo last weekend. She _____ _____ at the park.

21 _____ Billy and Tom at the movie theater yesterday? Yes, _____ _____.

_____ the movie interesting? No, it _____.

Chapter 02

일반동사의 과거

✔ 영작 Key Point

일반동사의 과거형	주어 + 동사원형-ed	He worked hard.
일반동사의 과거 부정문	주어 + did not + 동사원형	We did not play soccer.
일반동사의 과거 의문문	Did + 주어 + 동사원형 ~?	Did she watch TV?

UNIT 03 일반동사의 과거형

A 일반동사의 과거형

과거의 동작이나 상태를 나타낼 때 일반동사의 과거형을 쓴다. 일반동사의 과거형은 주어의 인칭과 수에
상관없이 동사원형에 -ed를 붙이는 규칙 동사와 불규칙하게 변하는 불규칙 동사가 있다.

	주어	일반동사의 과거형	해석
1인칭	I	watched the movie.	나는 그 영화를 보았다.
2인칭	You	looked happy.	너는 행복해 보였다.
3인칭 단수	He She It	stopped his car. did her homework. took a long time.	그는 차를 멈추었다. 그녀는 숙제를 했다. 그것은 오랜 시간이 걸렸다.
복수	We You They	stayed at home yesterday. studied hard. lived in Seoul last year.	우리는 어제 집에 머물렀다. 너희는 열심히 공부했다. 그들은 작년에 서울에 살았다.

B 규칙 동사

대부분의 동사	동사원형에 -ed를 붙인다.	ask → asked, watch → watched
-e로 끝나는 동사	동사원형에 -d를 붙인다.	live → lived, like → liked, die → died
'자음 + -y'로 끝나는 동사	y를 i로 바꾸고 -ed를 붙인다.	cry → cried, study → studied
'모음 + -y'로 끝나는 동사	동사원형에 -ed를 붙인다.	stay → stayed, play → played
'단모음 + 단자음'으로 끝나는 동사	끝 자음을 한 번 더 쓰고 -ed를 붙인다.	stop → stopped, plan → planned, drop → dropped

C 불규칙 동사

불규칙 동사는 일정한 규칙이 없이 변한다. (pp. 103-104 불규칙 동사표 참조)

동사원형	과거형	동사원형	과거형	동사원형	과거형	동사원형	과거형
buy	bought	drive	drove	have	had	read	read
come	came	eat	ate	lose	lost	ride	rode
do	did	fly	flew	make	made	run	ran
draw	drew	get	got	meet	met	sleep	slept
drink	drank	go	went	put	put	swim	swam

A 다음 문장에서 알맞은 것을 고르시오.

01 I played | plaied a computer game yesterday.

02 She sings | sang a song last night.

03 We went | goed to bed at 9 o'clock.

04 He rided | rode his bike last weekend.

05 You watched | watch a movie last Friday.

06 They buyed | bought some milk and honey.

07 His grandmother died | dieed five years ago.

08 David reads | read comic books last night.

09 Your sister cried | cries a few minutes ago.

10 The car stoped | stopped at the corner.

B 다음 괄호 안의 동사를 빈칸에 알맞은 과거형으로 바꾸어 쓰시오.

01 He _____ English last night. (study)

02 We _____ our homework two hours ago. (do)

03 They _____ in London last month. (stay)

04 His kite _____ high in the sky. (fly)

05 I _____ his sister at the movie theater. (meet)

06 The shop _____ at 11 a.m. last Sunday. (open)

07 Your father _____ at the party yesterday. (dance)

08 Mary _____ her glasses on the floor. (drop)

09 It _____ for six hours. (sleep)

10 Many people _____ her voice. (like)

11 She _____ up late this morning. (get)

12 Mr. Anderson _____ his watch last Friday. (lose)

> **Grammar Guide**
> • 대부분의 일반동사는 동사원형에 -ed를 붙여 과거형을 만든다.
> • 불규칙 동사는 일정한 규칙이 없이 변한다.

Grammar Practice II

A 다음 문장에서 밑줄 친 부분을 바르게 고쳐 쓰시오.

01 I <u>have</u> a good time last weekend.   (➡ _____)

02 It <u>snows</u> a lot two days ago.   (➡ _____)

03 We <u>live</u> in the country last year.   (➡ _____)

04 He <u>sayed</u> goodbye to us 5 minutes ago.   (➡ _____)

05 The writer <u>writes</u> three novels in 2007.   (➡ _____)

06 She <u>drinked</u> three glasses of milk last night.   (➡ _____)

07 They <u>play</u> baseball last Monday.   (➡ _____)

08 The baby <u>cryed</u> loudly last night.   (➡ _____)

09 Sam <u>swimed</u> across the lake last summer.   (➡ _____)

10 The kangaroos <u>jumpped</u> so high yesterday.   (➡ _____)

B 다음 주어진 문장을 과거 시제로 바꾸어 쓰시오.

01 The students try their best.

   ➡ _____

02 We go to Jeju Island by plane.

   ➡ _____

03 He teaches science at school.

   ➡ _____

04 The child asks many questions.

   ➡ _____

05 James and his brother plan for the future.

   ➡ _____

06 I make a snowman with my friends.

   ➡ _____

A 다음 주어진 우리말과 일치하도록 빈칸에 알맞은 말을 쓰시오.

01 그녀는 지난밤에 그 책을 읽었다.

→ She _____ the book last night.

02 그들은 지난 주말에 많은 사진을 찍었다.

→ They _____ a lot of pictures last weekend.

03 나의 할머니는 어제 스웨터를 짜셨다.

→ My grandmother _____ a sweater yesterday.

04 우리는 오늘 아침 일찍 일어나서, 청소를 했다.

→ We _____ up early this morning and _____ the house.

05 Mark는 열심히 공부했다. 그러나 그는 시험에 실패했다.

→ Mark _____ hard. But he _____ the test.

B 다음 보기와 같이 주어진 말을 사용하여 질문에 답하시오.

> 보기 ▶ Ⓐ What did Tom do last weekend? (visit his grandparents)
>
> Ⓑ He visited his grandparents last weekend.

01 Ⓐ What did she do an hour ago? (draw a picture)

Ⓑ _____

02 Ⓐ What did they do last vacation? (travel to Europe)

Ⓑ _____

03 Ⓐ What did your parents do last night? (go to the concert)

Ⓑ _____

04 Ⓐ What did he do on the stage? (sing a song and dance)

Ⓑ _____

Sentence Writing

Writing Guide

- 일반동사의 과거형은 주어에 상관없이 같은 형태를 쓴다. → I/You/We/They/He/She/It **studied** hard.
- 규칙 동사는 동사원형에 -ed를 붙인다. → I/You/We/They/He/She/It **played** with a ball.
- 불규칙 동사는 일정한 규칙이 없이 변한다. → I/You/We/They/He/She/It **drank** some water.

A 다음 우리말과 일치하도록 주어진 단어를 올바르게 배열하시오.

01 나는 어제 걸어서 학교에 갔다. (yesterday, to school, I, on foot, went)

➡ _____

02 Sam은 그의 장갑을 탁자 위에 놓았다. (his, Sam, on the table, put, gloves)

➡ _____

03 우리는 지난주에 그의 컴퓨터를 사용했다. (computer, used, last week, his, we)

➡ _____

04 그들은 지난밤에 깜짝 파티를 계획했다. (a surprise party, they, last night, planned)

➡ _____

B 다음 주어진 말을 이용하여 우리말을 영작하시오.

01 그는 한 시간 전에 무거운 상자들을 날랐다. (carry, heavy)

➡ _____

02 그녀는 어제 감기에 걸렸다. (have a cold)

➡ _____

03 나는 조금 전에 그의 연필을 빌렸다. (borrow, a few minutes ago)

➡ _____

04 그들은 지난 주말에 그 축구 경기에서 이겼다. (win)

➡ _____

05 그 운전사는 그의 차를 버스 정류장에 멈추었다. (at the bus stop)

➡ _____

A 다음 문장에서 알맞은 것을 고르시오.

01 He   drived | drove   his car for 3 hours last night.

02 She   hurt | hurted   her legs yesterday.

03 They   woke | wake   up late this morning.

04 I   ride | rode   a horse yesterday, but I   fell | fall   off it.

05 Last Sunday, we   eat | ate   out and   watched | watch   a movie.

B 다음 주어진 우리말과 일치하도록 빈칸에 알맞은 말을 쓰시오.

01 그녀는 어제 학교에 늦게 왔다.

➡ She _____ to school late yesterday.

02 나는 일 년 전에 그 나무를 심었다. 그것은 어제 죽었다.

➡ I _____ the tree a year ago. It _____ yesterday.

03 그는 우리를 파티에 초대했다. 우리는 파티에서 즐거운 시간을 보냈다.

➡ He _____ us to the party. We _____ fun at the party.

C 다음 주어진 말을 이용하여 우리말을 영작하시오.

01 그녀는 어제 머리를 감았다. (wash, her hair)

➡ _____

02 그 미술관은 지난 월요일에 문을 닫았다. (the gallery)

➡ _____

03 우리는 그 소식을 조금 전에 들었다. (hear, a few minutes ago)

➡ _____

04 내 남동생은 그의 생일 케이크를 잘랐다. (birthday cake)

➡ _____

일반동사의 과거 부정문과 의문문

Grammar Point

A 일반동사의 과거 부정문

일반동사의 과거 부정문은 주어의 인칭과 수에 상관없이 did not (= didn't)을 동사원형 앞에 쓴다.

	주어	did not	동사원형	해석
1인칭	I		watch the movie.	나는 그 영화를 보지 않았다.
2인칭	You		look happy.	너는 행복해 보이지 않았다.
3인칭 단수	He She It	did not (= didn't)	stop his car. do her homework. take a long time.	그는 차를 멈추지 않았다. 그녀는 숙제를 하지 않았다. 그것은 오랜 시간이 걸리지 않았다.
복수	We You They		stay at home yesterday. study hard. live in Seoul last year.	우리는 어제 집에 머무르지 않았다. 너희는 열심히 공부하지 않았다. 그들은 작년에 서울에 살지 않았다.

➔ **Grammar Plus** He did not study hard. (O)   He did not studied hard. (X)

B 일반동사의 과거 의문문

일반동사의 과거 의문문은 주어의 인칭과 수에 상관없이 Did를 주어 앞에 쓰고, 주어 뒤에 동사원형을 쓰며, 맨 뒤에 물음표를 붙인다.

Did	주어	동사원형	해석	대답 긍정	대답 부정
Did	I	like cheese?	제가 치즈를 좋아했나요?	Yes, you did.	No, you didn't.
	you	have lunch?	너는 점심을 먹었니?	Yes, I did.	No, I didn't.
	he she it	sleep well? stay at home? fly high?	그는 잠을 잘 잤니? 그녀는 집에 머물렀니? 그것은 높이 날았니?	Yes, he did. Yes, she did. Yes, it did.	No, he didn't. No, she didn't. No, it didn't.
	we you they	look happy? play soccer? study hard?	우리가 행복해 보였니? 너희는 축구를 했니? 그들은 열심히 공부했니?	Yes, you/we did. Yes, we did. Yes, they did.	No, you/we didn't. No, we didn't. No, they didn't.

➔ **Grammar Plus** 일반동사의 과거 의문문에 대한 대답은 Yes/No로 하는데, Yes 뒤에는 「주어 + did」가 오고, No 뒤에는 「주어 + didn't」가 온다.

A 다음 문장에서 알맞은 것을 고르시오.

01 She   doesn't | didn't   go to school last Friday.

02 They   didn't | weren't   have dinner yesterday.

03 He didn't   do | did   his homework.

04   Did | Were   you hear the news?

05 I   was not | did not   study hard last week.

06   Does | Did   the baby cry last night?

07 Did they   move | moved   to Seoul last month?

08 We   didn't | don't   meet | met   yesterday.

09   Were | Did   your sister   lost | lose   her shoes?

10   Did | Do   you know my name yesterday? Yes, I   do | did .

11   Do | Did   it live in the river? No, it   doesn't | didn't .

Grammar Guide
• 일반동사의 과거 부정문은 did not
  (= didn't)이 동사원형 앞에 온다.
• 일반동사의 과거 의문문은 Did가 주어
  앞에 오고, 주어 뒤에 동사원형이 온다.

B 다음 보기에서 알맞은 것을 넣어 부정문 또는 의문문을 완성하시오.

보기▶ did   didn't   was   wasn't   were   weren't

01 We _____ not play baseball last weekend.

02 I _____ wake up early this morning.

03 They _____ go to bed at 10 last night.

04 The child _____ not seven years old last year.

05 She _____ not ask many questions.

06 You _____ in the library yesterday.

07 _____ he use my computer? No, he _____.

08 _____ you in Japan last year? No, I _____.

09 _____ you do your best? Yes, we _____.

Grammar Guide
• 일반동사의 과거 부정문은 주어에 상관없이
  did not (= didn't)을 동사원형 앞에 쓰고,
  과거 의문문은 Did를 주어 앞에 쓴다.
• be동사의 과거 부정문이나 의문문에는
  일반동사가 없다.

Grammar Practice II

A 다음 문장에서 밑줄 친 부분을 바르게 고쳐 쓰시오.

01 He didn't <u>taught</u> English five years ago.   (➞ _____)

02 It <u>wasn't</u> rain a lot last night.   (➞ _____)

03 I <u>wasn't reads</u> the newspaper this morning.   (➞ _____)

04 We <u>don't</u> go on a picnic last weekend.   (➞ _____)

05 She didn't <u>told</u> a lie yesterday.   (➞ _____)

06 <u>Were</u> they dance at the party last night?   (➞ _____)

07 <u>Does</u> she ride her bike yesterday?   (➞ _____)

08 Did your brother <u>drew</u> this picture?   (➞ _____)

09 Did you clean the window? Yes, I <u>do</u>.   (➞ _____)

10 Did it sleep on the sofa? No, it <u>isn't</u>.   (➞ _____)

B 다음 주어진 문장을 지시대로 바꾸어 쓰시오.

01 He went to the beach last Sunday.

　　부정문▶ _____

02 I dropped the flower vase.

　　부정문▶ _____

03 She washed her face this morning.

　　부정문▶ _____

04 They stood at the bus stop.

　　의문문▶ _____

05 It snowed a lot last winter.

　　의문문▶ _____

06 Your team won the game yesterday.

　　의문문▶ _____

A 다음 주어진 우리말과 일치하도록 빈칸에 알맞은 말을 쓰시오.

01 나의 아버지는 차로 출근하지 않으셨다.

→ My father _____ _____ to work by car.

02 우리는 5년 전에 런던에 살지 않았다.

→ We _____ _____ in London five years ago.

03 나는 어제 설거지를 하지 않았다.

→ I _____ _____ the dishes yesterday.

04 그들은 어제 너를 도와주었니? 응, 그랬어.

→ _____ they _____ you yesterday? Yes, they _____.

05 너는 그녀에게 편지를 썼니? 아니, 그렇지 않았어.

→ _____ you _____ a letter to her? No, I _____.

B 다음 보기와 같이 주어진 단어를 사용하여 지시대로 문장을 만드시오.

보기 she / sang well   부정문 <u>She did not (= didn't) sing well.</u>

01 we / studied at the library

부정문 _____

02 I / ate a sandwich

부정문 _____

03 you / had a wonderful time

의문문 _____

04 it / rained last weekend

의문문 _____

05 your mother / got up early this morning

의문문 _____

Sentence Writing

Writing Guide

- 일반동사의 과거 부정문은 「주어 + didn't + 동사원형」 순으로 쓴다.　　→　We didn't play soccer.
- 일반동사의 과거 의문문은 「Did + 주어 + 동사원형 ~?」 순으로 쓴다.　　→　Did you play soccer?

A 다음 우리말과 일치하도록 주어진 단어를 올바르게 배열하시오.

01　그들은 어제 11시에 잠자리에 들었니? (go, did, they, yesterday, to, at 11, bed, ?)

➡ _____

02　우리는 지난주에 그녀를 만나지 않았다. (meet, didn't, last week, her, we)

➡ _____

03　그 기차는 제시간에 도착하지 않았다. (didn't, on time, arrive, the train)

➡ _____

04　너는 그녀의 생일 선물을 샀니? (you, did, birthday present, buy, her, ?)

➡ _____

B 다음 주어진 말을 이용하여 우리말을 영작하시오.

01　그녀는 어제 우리를 기다리지 않았다. (wait for)

➡ _____

02　나는 그의 이름을 기억하지 못했다. (remember)

➡ _____

03　우리는 진실을 말하지 않았다. (tell the truth)

➡ _____

04　너희는 그 마술쇼를 보았니? (the magic show)

➡ _____

05　Mark는 어제 그의 머리를 다쳤니? (hurt)

➡ _____

A 다음 문장에서 알맞은 것을 고르시오.

01 My mother   did | does   not eat lunch yesterday.

02 The students didn't   take | took   an exam last week.

03 We   did | do   not   do | did   our homework yesterday.

04   Did | Do   they   had | have   a birthday party last night?

05   Did | Were   you jog this morning? Yes,   I did | I was .

B 다음 주어진 우리말과 일치하도록 빈칸에 알맞은 말을 쓰시오.

01 어제는 매우 더웠다. 우리는 뜨거운 차를 마시지 않았다.

→ It _____ very hot yesterday. We _____ _____ hot tea.

02 Jenny는 피아노를 치지 않았다. 그녀는 바이올린을 연주했다.

→ Jenny _____ _____ the piano. She _____ the violin.

03 그녀는 어제 우산을 가져왔니? 응, 그랬어.

→ _____ she _____ her umbrella yesterday? Yes, she _____.

C 다음 주어진 말을 이용하여 우리말을 영작하시오.

01 어젯밤에 비가 많이 오지 않았다. (a lot)

→ _____

02 그는 어제 집에 돌아왔니? (come back home) 아니, 그렇지 않았어.

→ _____

03 내 조카는 작년에 열심히 공부하지 않았다. (nephew)

→ _____

04 너는 오늘 부모님에게 전화했니? (call) 응, 그랬어.

→ _____

Actual Test

[01 – 03] 다음 빈칸에 들어갈 수 있는 것을 고르시오.

01 He _____ two books last year.

① writes   ② write   ③ writed   ④ was write   ⑤ wrote

02 They didn't _____ to the party yesterday.

① come   ② came   ③ comed   ④ camed   ⑤ were come

03 _____ the students late for school last Friday?

① Was   ② Do   ③ Were   ④ Does   ⑤ Did

04 다음 빈칸에 들어갈 수 <u>없는</u> 것을 고르시오.

We _____ in New York five years ago.

① were   ② lived   ③ stayed   ④ live   ⑤ didn't stay

05 다음 빈칸에 알맞은 말이 바르게 짝지어진 것을 고르시오.

Jason _____ very tired yesterday. So he _____ to bed early last night.

① is, goes   ② was, went   ③ was, goes   ④ is, went   ⑤ was, goed

06 다음 대화의 빈칸에 들어갈 알맞은 것을 고르시오.

Ⓐ _____ your sister cry this morning?   Ⓑ No, she _____.

① Does, doesn't   ② Did, didn't   ③ Did, did   ④ Was, wasn't   ⑤ Was, didn't

07 다음 중 올바른 문장을 <u>두 개</u> 고르시오.

① He played basketball yesterday.   ② Was she work hard last week?
③ I didn't heard the news.   ④ Did it cold and windy last winter?
⑤ Did your grandfather die last year?

08 다음 중 문장을 지시대로 바르게 바꾼 것을 고르시오.

① I didn't know her sister. 긍정문 I knowed her sister.
② She stayed at a hotel. 부정문 She doesn't stay at a hotel.
③ He did his homework yesterday. 의문문 Did he his homework yesterday?
④ The movie started on time. 의문문 Did the movie start on time?
⑤ We tried our best last week. 부정문 We didn't tried our best last week.

[09-10] 다음 우리말을 영작했을 때 밑줄 친 부분 중 **틀린** 것을 고르시오.

09 어제 눈이 많이 왔다. 추웠다. 그래서 우리는 밖에 나가지 않았다.

→ It <u>snowed</u> a lot yesterday. <u>It</u> <u>was</u> cold. So we <u>didn't</u> <u>went</u> outside.
   ①   ② ③   ④ ⑤

10 너는 자전거로 학교에 갔니? 아니, 그렇지 않았어. 나는 버스를 탔어.

→ <u>Were</u> you <u>go</u> to school by bike? No, I <u>did</u> <u>not</u>. I <u>took</u> a bus.
 ①   ②   ③ ④ ⑤

11 다음 중 우리말을 올바르게 영작한 것이 <u>아닌</u> 것을 고르시오.

① 그는 어제 일찍 일어났다. → He woke up early yesterday.
② 우리는 지난 주말에 외식을 했다. → We ate out last weekend.
③ 그들은 지난주에 숙제가 없었다. → They wasn't have homework last week.
④ 너의 아버지는 운전을 하셨니? → Did your father drive a car?
⑤ 그녀는 작년에 수학을 가르치지 않았다. → She didn't teach math last year.

12 다음 글을 읽고 빈칸에 주어진 동사의 과거형 형태를 쓰시오.

My friend and I _____ (go) to an amusement park last weekend.

We _____ (ride) a roller coaster. It _____ (be) scary.

So we _____ (scream) a lot. We _____ (eat) pizza for lunch.

We _____ (not enter) the haunted house. My friend Joe _____ (buy)

some toys. It _____ (be) a wonderful day.

[13-14] 다음 주어진 우리말과 일치하도록 빈칸에 알맞은 말을 쓰시오.

13   나는 피곤함을 느꼈다. 나는 오늘 아침 일찍 일어나지 않았다.

→ I _____ tired. I _____ _____ up early this morning.

14   그녀는 어제 도서관에 갔었니? 아니, 그렇지 않았어.

→ _____ she _____ to the library yesterday? No, she _____ .

[15-16] 다음 주어진 말을 이용하여 우리말을 영작하시오.

15   내 남동생들은 어제 싸웠다. (fight)

→ _____

16   그들은 새 집을 지었니? (build) 응, 그랬어.

→ _____

[17-19] 다음 표를 보고 엄마의 질문에 대한 **Kate**의 대답을 완성하시오.

Yesterday	What Kate Did
11:00 a.m.	study English at the library
2:00 p.m.	meet Sarah and eat lunch
7:00 p.m.	listen to music

17   Mom   Where were you at 11 yesterday?   Kate   I _____ .

Mom   What did you do at the library?   Kate   I _____ .

18   Mom   What did you do at 2 p.m.?   Kate   I _____ .

19   Mom   What did you do in the evening?   Kate   I _____ .

✔ 영작 Key Point

	will	be going to
미래 시제	주어 + will + 동사원형	주어 + am/are/is going to + 동사원형
미래 시제의 부정문	주어 + will not + 동사원형	주어 + am/are/is not going to + 동사원형
미래 시제의 의문문	Will + 주어 + 동사원형 ~?	Am/Are/Is + 주어 + going to + 동사원형 ~?

UNIT 05 will, be going to

미래 시제는 앞으로 일어날 일을 말할 때 쓰는 것으로 will이나 be going to를 사용하며, '~일 것이다, ~할 것이다'라고 해석한다.

A will

미래의 일을 말할 때 조동사 will을 사용하며, 뒤에는 동사원형이 온다. will은 주어의 인칭과 수에 상관없이 같은 형태를 쓴다.

	주어	will	동사원형	해석
1인칭	I		play soccer.	나는 축구를 할 것이다.
2인칭	You		be tired.	너는 피곤할 것이다.
3인칭 단수	He She It	will	watch a movie. help us. be rainy tomorrow.	그는 영화를 볼 것이다. 그녀는 우리를 도울 것이다. 내일 비가 올 것이다.
복수	We You They		learn English. pass the test. be at home.	우리는 영어를 배울 것이다. 너희는 그 시험에 통과할 것이다. 그들은 집에 있을 것이다.

➔ **Grammar Plus** be동사 am, are, is의 동사원형은 be이다.

B be going to

미래의 일을 말할 때 조동사 will 대신 be going to를 사용할 수 있는데, 이때 be동사는 주어의 인칭과 수에 따라 구별해서 써야 하며, 뒤에는 동사원형이 온다.

	주어	be going to	동사원형	해석
1인칭	I	am going to	play soccer.	나는 축구를 할 것이다.
2인칭	You	are going to	be tired.	너는 피곤할 것이다.
3인칭 단수	He She It	is going to	watch a movie. help us. be rainy tomorrow.	그는 영화를 볼 것이다. 그녀는 우리를 도울 것이다. 내일 비가 올 것이다.
복수	We You They	are going to	learn English. pass the test. be at home.	우리는 영어를 배울 것이다. 너희는 그 시험에 통과할 것이다. 그들은 집에 있을 것이다.

➔ **Grammar Plus** tomorrow, next 등의 부사는 미래 시제와 함께 쓴다.

A 다음 문장에서 알맞은 것을 고르시오.

01 We will goes | will go on a picnic next week.

02 You is going to | are going to be lucky.

03 The weather will be | is snowy tomorrow.

04 She be | is going to study at the library.

05 The train wills arrive | will arrive on time.

06 He is going to ask | asks many questions.

07 Your mother are | is going to be back soon.

08 I will | be going to go shopping with Jane.

09 George is going to visits | visit London.

10 The English tests will are | be difficult.

11 They will buy | will buying some milk.

12 We are | is going to play | plays the piano.

B 다음 문장의 빈칸에 am, are, is 중 알맞은 것을 넣어 미래 시제를 완성하시오.

01 He _____ going to become a teacher.

02 I _____ going to visit my grandparents.

03 She _____ going to do her homework.

04 Your brother _____ going to ride his bike.

05 It _____ going to be cold next week.

06 The games _____ going to be exciting.

07 They _____ going to help us.

08 David _____ going to go to school by bus.

09 You _____ going to win the game.

10 We _____ going to be 14 years old next year.

Grammar Practice II

A 다음 주어진 문장을 **will**을 사용하여 미래 시제로 바꾸어 쓰시오.

01 We have a great time at the party.

➡ _____

02 She is in the fifth grade.

➡ _____

03 The student learns Chinese.

➡ _____

04 The movie starts in five minutes.

➡ _____

05 I am very tired.

➡ _____

B 다음 주어진 문장을 **be going to**를 사용하여 바꾸어 쓰시오.

01 It will be snowy next Friday.

➡ _____

02 I will go to the post office.

➡ _____

03 Your sister will become a famous artist.

➡ _____

04 They will stay at home this weekend.

➡ _____

05 She will invite many friends to the party.

➡ _____

06 My parents will travel to Europe.

➡ _____

A 다음 주어진 우리말과 일치하도록 빈칸에 알맞은 말을 쓰시오.

01 나의 아버지는 이번 주말에 바쁘실 것이다.

→ My father _____ _____ to _____ busy this weekend.

02 그들은 내일 동물원에 갈 것이다.

→ They _____ _____ to _____ to the zoo tomorrow.

03 나는 열심히 공부할 것이다. 나는 의사가 될 것이다.

→ I _____ _____ hard. I _____ _____ a doctor.

04 날씨가 흐리고 비가 올 것이다.

→ It _____ _____ to _____ cloudy and rainy.

05 그 시험은 쉬울 것이다. 너는 그 시험에 통과할 것이다.

→ The test _____ _____ easy. You _____ _____ the test.

B 다음 문장의 틀린 부분을 바르게 고쳐 문장을 다시 쓰시오.

01 Your mother are going to plant some flowers.

→ _____

02 He is going to gets up early.

→ _____

03 The airplane wills leave on time.

→ _____

04 She moves will to a city next month.

→ _____

05 Sophia and I will am 14 years old next year.

→ _____

Sentence Writing

Writing Guide

- 미래 시제는 「주어 + will/be going to + 동사원형」 순으로 쓴다. → I will/am going to study.
- will은 주어에 상관없이 같은 형태를 쓴다. → I/You/We/They/He/She/It will do it.
- be going to의 be동사는 주어에 따라 am/are/is를 쓴다. → She is going to sleep.

A 다음 우리말과 일치하도록 주어진 단어를 올바르게 배열하시오.

01 나는 내일 시험을 볼 것이다. (have a test, am, I, tomorrow, going to)

→ _____

02 그는 곧 이메일을 쓸 것이다. (email, an, write, he, soon, will)

→ _____

03 그녀는 다음 월요일에 결석할 것이다. (be, will, next Monday, absent, she)

→ _____

04 그들은 내년에 중국을 방문할 것이다. (next year, are, visit, they, going to, China)

→ _____

B 다음 주어진 말을 이용하여 우리말을 영작하시오.

01 너의 꿈은 이루어질 것이다. (will, come true)

→ _____

02 그 파티는 곧 끝날 것이다. (be going to, be over)

→ _____

03 우리는 역에서 그를 만날 것이다. (will, at the station)

→ _____

04 나는 선글라스를 쓸 것이다. (be going to, wear)

→ _____

05 그들은 너의 선물을 좋아할 것이다. (be going to, present)

→ _____

A 다음 문장에서 알맞은 것을 고르시오.

01 He is going to   go | goes   to bed early tonight.

02 We   will | wills   clean the house tomorrow.

03 I   am going to | be going to   finish my homework soon.

04 His story will   be | is   interesting.

05 Your father   is | are   going to   make | makes   dinner.

B 다음 주어진 우리말과 일치하도록 빈칸에 알맞은 말을 쓰시오.

01 내일 비가 올 것이다.

→ It _____ going _____ _____ tomorrow.

02 내 친구와 나는 사진을 찍을 것이다.

→ My friend and I _____ _____ to _____ pictures.

03 사람들은 그의 노래를 좋아할 것이다. 그는 유명해질 것이다.

→ People _____ _____ his song. He _____ _____ famous.

C 다음 주어진 말을 이용하여 우리말을 영작하시오.

01 그녀는 내일 떠날 것이다. (be going to, leave)

→ _____

02 그는 오늘 밤 너에게 전화할 것이다. (will, tonight)

→ _____

03 우리는 서로 도울 것이다. (be going to, each other)

→ _____

04 그의 그림들은 비싸질 것이다. (will, expensive)

→ _____

UNIT 06 미래 시제의 부정문과 의문문

A 미래 시제의 부정문

미래 시제의 부정문은 will이나 be동사 뒤에 not을 쓴다. will not은 줄여서 won't로 쓸 수 있다.

주어	will not/be not going to	동사원형	해석
I	will not/am not going to	play soccer.	나는 축구를 하지 않을 것이다.
He She It	will not/is not going to	watch a movie. help us. be rainy tomorrow.	그는 영화를 보지 않을 것이다. 그녀는 우리를 돕지 않을 것이다. 내일 비가 오지 않을 것이다.
We You They	will not/are not going to	learn English. pass the test. be at home.	우리는 영어를 배우지 않을 것이다. 너(희)는 그 시험에 통과하지 못할 것이다. 그들은 집에 있지 않을 것이다.

B 미래 시제의 의문문

• will의 의문문은 Will을 주어 앞에 쓰고, 주어 뒤에 동사원형을 쓴다.

Will	주어	동사원형	해석	대답	
				긍정	부정
Will	I	be tired?	내가 피곤할까?	Yes, you will.	No, you won't.
	he she it	leave? help us? rain?	그는 떠날 것이니? 그녀가 우리를 도와줄까? 비가 올까?	Yes, he will. Yes, she will. Yes, it will.	No, he won't. No, she won't. No, it won't.
	we you they	be happy? sleep? dance?	우리가 행복할까? 너(희)는 잠을 잘 것이니? 그들은 춤을 출 것이니?	Yes, you/we will. Yes, I/we will. Yes, they will.	No, you/we won't. No, I/we won't. No, they won't.

• be going to의 의문문은 be동사를 주어 앞에 쓰고, 주어 뒤에 「going to + 동사원형」을 쓴다.

be동사	주어	going to + 동사원형	대답	
			긍정	부정
Am	I	going to be tired?	Yes, you are.	No, you aren't.
Is	he she it	going to leave? going to help us? going to rain?	Yes, he is. Yes, she is. Yes, it is.	No, he isn't. No, she isn't. No, it isn't.
Are	we you they	going to be happy? going to sleep? going to dance?	Yes, you/we are. Yes, I am. / Yes, we are. Yes, they are.	No, you/we aren't. No, I am not. / No, we aren't. No, they aren't.

A 다음 문장에서 알맞은 것을 고르시오.

01 I am not | not am going to believe him.

02 He will not go | goes on a picnic.

03 Does | Are you going to become a dentist?

04 They are not going to watch | watches TV.

05 It won't | be not going to rain tomorrow.

06 I | We are not going to be late for school.

07 The movie is not | be not going to end soon.

08 Will she | She will   brings | bring her umbrella?

09 Are | Will the tests be difficult? Yes, they will | is .

10 Are | Is your sister going to sleep? No, she isn't | won't .

Grammar Guide

• 미래 시제의 부정문은 will이나 be동사 뒤에 not이 온다.
• 미래 시제의 의문문은 will이나 be동사가 주어 앞에 오고, 주어 또는 going to 뒤에 동사원형이 온다.

B 다음 두 문장이 같은 의미가 되도록 빈칸에 알맞은 말을 쓰시오.

01 She is not going to listen to the radio.

= She _____ _____ listen to the radio.

02 I won't talk to her again.

= I _____ _____ _____ _____ talk to her again.

03 We will not forget them.

= We _____ _____ _____ _____ forget them.

04 Will the train arrive on time?

= _____ the train _____ _____ arrive on time?

05 Are they going to have a party tonight?

= _____ they _____ a party tonight?

06 Will you be in sixth grade?

= _____ you _____ _____ _____ in sixth grade?

Grammar Guide

• will not ↔ be not going to
• 「Will + 주어 + 동사원형 ~?」 ↔ 「be동사 + 주어 + going to + 동사원형 ~?」

Grammar Practice II

A 다음 문장에서 밑줄 친 부분을 바르게 고쳐 쓰시오.

01 The baby is not going to <u>cries</u>.　　　　　(➡ _____)

02 <u>Will</u> it going to snow tonight?　　　　　(➡ _____)

03 She will not <u>needs</u> your help.　　　　　(➡ _____)

04 <u>Is</u> you going to do your homework?　　　(➡ _____)

05 We <u>will</u> not going to eat junk food.　　　(➡ _____)

06 The shop <u>will open not</u> early in the morning.　(➡ _____)

07 <u>Are</u> your sister going to learn Spanish?　(➡ _____)

08 They <u>willn't</u> fight again.　　　　　　　(➡ _____)

09 Will you <u>had</u> a sandwich for lunch?　　(➡ _____)

10 Am I <u>be</u> going to be late for school?　　(➡ _____)

B 다음 주어진 문장을 지시대로 바꾸어 쓰시오.

01 We will dance at the party.

　　부정문 _____

02 She will buy a new backpack.

　　의문문 _____

03 The weather will be fine tomorrow.

　　부정문 _____

04 Jason is going to go for a walk.

　　의문문 _____

05 I am going to meet my friends.

　　부정문 _____

06 They are going to be at school.

　　의문문 _____

A 다음 주어진 우리말과 일치하도록 빈칸에 알맞은 말을 쓰시오.

01 그는 내일 축구를 할 것이니?

➡ _____ he _____ football tomorrow?

02 나는 게으른 사람이 되지 않을 것이다.

➡ I _____ _____ going to _____ a lazy person.

03 우리는 그의 이름을 잊지 않을 것이다.

➡ We _____ _____ _____ his name.

04 너는 그를 도와줄 것이니?

➡ _____ you _____ to _____ him?

05 날씨가 좋지 않을 것이다. 우리는 밖에 나가지 않을 것이다.

➡ It _____ _____ fine. We _____ _____ outside.

B 다음 보기와 같이 주어진 단어를 사용하여 지시대로 문장을 만드시오.

보기 ▶ he / will / play games   부정문 ▶ He will not (= won't) play games.

01 I / be going to / tell lies

부정문 ▶ _____

02 she / will / go to school by bus

의문문 ▶ _____

03 the vegetables / will / be fresh

부정문 ▶ _____

04 you / be going to / leave early

의문문 ▶ _____

05 Michael / be going to / come to the party

의문문 ▶ _____

Sentence Writing

A 다음 우리말과 일치하도록 주어진 단어를 올바르게 배열하시오.

01 우리는 일찍 잠자리에 들지 않을 것이다. (going to, we, not, early, are, go to bed)

➡ _____

02 나는 우산을 가지고 가지 않을 것이다. (will, I, not, umbrella, my, bring)

➡ _____

03 그 연주회는 7시에 시작할 것이니? (going to, at 7, start, is, the concert, ?)

➡ _____

04 네 여동생은 내일 머리를 감을 것이니? (sister, your, her, tomorrow, wash, hair, will, ?)

➡ _____

B 다음 주어진 말을 이용하여 우리말을 영작하시오.

01 오늘 밤에 눈이 오지 않을 것이다. (be going to, tonight)

➡ _____

02 너는 내년에 13살이 되니? (be going to, next year)

➡ _____

03 그는 내일 우리를 기다리지 않을 것이다. (will, wait for)

➡ _____

04 그녀가 그에게 전화할까? (be going to) 아니, 그러지 않을 거야.

➡ _____

05 그들이 결승전에서 이길까? (will, the final game) 응, 그럴 거야.

➡ _____

A 다음 문장에서 알맞은 것을 고르시오.

01   Will she pass | passes the English test?

02   His question will not | willn't be difficult.

03   My sister and I will | aren't going to do | does the dishes.

04   Will | Are you go for a walk? Yes, I will | am .

05   Is | Are he going to go hiking? No, he won't | isn't .

B 다음 주어진 우리말과 일치하도록 빈칸에 알맞은 말을 쓰시오.

01   우리는 꿈을 포기하지 않을 것이다.

→ We _____ _____ give up our dreams.

02   나는 친구들과 싸우지 않을 것이다.

→ I _____ _____ going to _____ with my friends.

03   그들이 우리를 환영해줄까? 응, 그럴 거야.

→ _____ they _____ to _____ us? Yes, they _____.

C 다음 주어진 말을 이용하여 우리말을 영작하시오.

01   그녀는 기차역에 있지 않을 것이다. (will, at the train station)

→ _____

02   우리는 그 동아리에 가입하지 않을 것이다. (be going to, join the club)

→ _____

03   너는 그를 용서할 것이니? 아니, 그러지 않을 거야. (will, forgive)

→ _____

04   George가 경주에서 이길까? 응, 그럴 거야. (be going to, win the race)

→ _____

Actual Test

[01–02] 다음 빈칸에 들어갈 수 있는 것을 고르시오.

01 Your parents _____ trust you.

   ① wills   ② will not   ③ is going to   ④ isn't going to   ⑤ not will

02 _____ Mark going to get up early tomorrow?

   ① Do   ② Does   ③ Is   ④ Are   ⑤ Will

[03–04] 다음 빈칸에 들어갈 수 <u>없는</u> 것을 고르시오.

03 We _____ have a party next Saturday.

   ① will   ② will not   ③ won't   ④ aren't going to   ⑤ is going to

04 He is not going to watch TV _____.

   ① next Sunday   ② tonight   ③ yesterday   ④ next week   ⑤ tomorrow

[05–06] 다음 두 문장이 같은 의미가 되도록 빈칸에 들어갈 알맞은 것을 고르시오.

05
> I am not going to be in Seoul next week.
> = I _____ be in Seoul next week.

   ① not going to   ② am going to   ③ will   ④ am not   ⑤ won't

06
> Will Kevin like my present?
> = _____ Kevin _____ like my present?

   ① Is, going to   ② Does, going to   ③ Are, going to
   ④ Is, going   ⑤ Do, going to

07 다음 대화의 빈칸에 들어갈 알맞은 것을 고르시오.

   ⓐ _____ you going to play outside?   ⓑ No, we _____.

   ① Will, won't   ② Are, aren't   ③ Are, are
   ④ Will, will   ⑤ Will, aren't

08 다음 중 올바른 문장이 <u>아닌</u> 것을 고르시오.

① Will it be cold tomorrow?　② I am not going to eat lunch.

③ He will not invite her.　④ We are going to play the drum.

⑤ Are you going to a teacher?

09 다음 중 문장을 지시대로 바르게 바꾼 것을 고르시오.

① The math test will be easy. 부정문 The math test won't is easy.

② She will take the train. 의문문 Will she takes the train?

③ We are going to be tired. 부정문 We are not going to be tired.

④ He is going to take a bath. 의문문 Is he going to takes a bath?

⑤ I am going to ride my bike. 부정문 I am going to not ride my bike.

[10-12] 다음 우리말을 영작했을 때 밑줄 친 부분 중 <u>틀린</u> 것을 고르시오.

10 우리는 곧 시험을 볼 것이다. 나는 열심히 공부할 것이다.

→ We <u>are</u> <u>going to</u> <u>have</u> a test soon. I <u>will</u> going to <u>study</u> hard.
　　①　　②　　③　　　　　　④　　　　⑤

11 내일 비가 올 것이다. 우리는 소풍을 가지 않을 것이다.

→ It <u>will</u> <u>is</u> <u>rainy</u> tomorrow. We <u>won't</u> <u>go</u> on a picnic.
　①　②　③　　　　④　　⑤

12 네 여동생이 그 음악 동아리에 가입할까? 아니, 그러지 않을 거야.

→ <u>Are</u> your sister <u>going to</u> <u>join</u> the music club? No, <u>she</u> <u>isn't</u>.
　①　　　　②　　③　　　　　　④　⑤

13 다음 중 우리말을 올바르게 영작한 것이 <u>아닌</u> 것을 고르시오.

① 너는 집에 일찍 돌아올 것이니? → Are you going to come back home early?

② 그들은 내일 떠나지 않을 것이다. → They won't leave tomorrow.

③ 나는 휴대전화를 살 것이다. → I am going to buy a cellphone.

④ 그가 내 이름을 기억할까? → Will he remember my name?

⑤ Susan은 다음 주에 바쁘지 않을 것이다. → Susan isn't going to busy next week.

[14-15] 다음 주어진 우리말과 일치하도록 빈칸에 알맞은 말을 쓰시오.

14 눈이 올 것이다. 그러나 춥지는 않을 것이다.

→ It _____ going to snow. But it _____ _____ cold.

15 너희는 내일 이사할 것이니? 응, 그럴 거야.

→ _____ you going to _____ tomorrow? Yes, we _____.

[16-17] 다음 주어진 말을 이용하여 우리말을 영작하시오.

16 우리는 네 컴퓨터를 사용하지 않을 것이다. (will, use)

→ _____

17 그녀는 일기를 쓸 것이니? (be going to, keep a diary)

→ _____

[18-20] 다음 표를 보고 나와 **Betty**가 다음 주에 할 일에 대한 글을 완성하시오.

	I	Betty
next Tuesday	practice the flute	study English
next Friday	meet Kate	meet Kate
next Sunday	go hiking	help her mother

18 Next Tuesday, I _____ going to _____ the flute. Betty _____

going to _____ English.

19 Next Friday, Betty and I _____ going to _____ Kate together.

20 _____ Betty _____ her mother next Sunday? Yes, she will.

But I _____ help my mother. I _____ go hiking.

조동사

✔ 영작 Key Point

능력, 가능 (~할 수 있다)	can	주어 + can + 동사원형
	be able to	주어 + am/are/is able to + 동사원형
허락 (~해도 된다, ~해도 좋다)	can	주어 + can + 동사원형
	may	주어 + may + 동사원형
의무 (~해야 한다)	must	주어 + must + 동사원형
	have to	주어 + have/has to + 동사원형
의무, 충고 (~해야 한다, ~하는 게 좋다)	should	주어 + should + 동사원형

UNIT 07 능력, 가능, 허락의 조동사

조동사는 혼자 쓰이지 못하고 다른 동사를 도와 동사에 능력, 가능, 허락, 의무 등의 의미를 더해준다.
조동사를 쓸 때는 다음의 몇 가지 규칙을 따라야 한다.

조동사는 동사 앞에 온다.	I can swim. (O) I swim can. (X)
조동사 뒤에는 동사원형이 온다.	He can jump. (O) He can jumps. (X)
조동사는 주어에 상관없이 같은 형태를 쓴다.	It can fly. (O) It cans fly. (X)

A 능력, 가능의 조동사 can

'~할 수 있다'라는 의미의 능력이나 가능을 나타낼 때 조동사 can을 사용하며, can은 be able to로 바꾸어
쓸 수 있다.

	문장의 종류 및 형태	예문
긍정문	주어 + can + 동사원형 = 주어 + am/are/is able to + 동사원형	I can run fast. 나는 빨리 달릴 수 있다. = I am able to run fast.
부정문	주어 + cannot (= can't) + 동사원형 = 주어 + am/are/is not able to + 동사원형	He can't speak English. 그는 영어를 말할 수 없다. = He is not able to speak English.
의문문	Can + 주어 + 동사원형 ~? = Am/Are/Is + 주어 + able to + 동사원형 ~?	Can you drive a car? 너는 운전을 할 수 있니? = Are you able to drive a car?

⊕ Grammar Plus can의 부정형은 can not이 아니라 cannot이고, 줄여서 can't로 쓸 수 있다.

B 허락의 조동사 may, can

'~해도 된다, ~해도 좋다'라는 의미의 허락을 나타낼 때 조동사 may나 can을 사용한다. 상대방의 허락을
구할 때는 May나 Can을 주어 앞에 쓰고 '~해도 되나요?'라고 해석한다.

	문장의 종류 및 형태	예문
긍정문	주어 + may + 동사원형 주어 + can + 동사원형	You may stay at home. 너는 집에 머물러도 된다. You can use it. 너는 그것을 사용해도 좋다.
의문문	May + 주어 + 동사원형 ~? Can + 주어 + 동사원형 ~?	May I come in? 들어가도 될까요? Can I use your cellphone? 네 휴대전화를 써도 될까?

A 다음 문장에서 알맞은 것을 고르시오.

01 My sister can   plays | play   the violin.

02 You   may goes | may go   to the theater.

03   May | Does   I help you?

04 Susan   cans win | can win   the game.

05 Can I   use | used   your computer?

06 She   can ride | ride can   a horse.

07 He   be able to | can   speak Spanish.

08 They   cannot | can not   go to the concert.

09 I   can't | is not able to   finish my homework.

10   Can | Is   a frog   jumps | jump   high?

> **Grammar Guide**
> • 조동사 can, may는 주어에 상관없이 같은 형태를 사용하고, 뒤에는 동사원형이 온다.
> • 의문문에서 조동사는 주어 앞에 오고, 주어 뒤에는 동사원형이 온다.

B 다음 두 문장이 같은 의미가 되도록 빈칸에 알맞은 말을 쓰시오.

01 I can answer the question.

= I _____ _____ _____ answer the question.

02 She can't drive a truck.

= She _____ _____ _____ _____ drive a truck.

03 Can it swim fast?

= _____ it _____ _____ swim fast?

04 They are not able to play the guitar.

= They _____ play the guitar.

05 Are you able to come to the party?

= _____ you _____ to the party?

06 The young boy is able to read the alphabet.

= The young boy _____ _____ the alphabet.

> **Grammar Guide**
> 능력이나 가능을 나타내는 can은 be able to와 서로 바꾸어 쓸 수 있는데, be동사는 주어에 따라 달라진다.
> • I → am
> • you/we/they/복수명사 → are
> • he/she/it/단수명사 → is

Grammar Practice II

A 다음 문장에서 밑줄 친 부분을 바르게 고쳐 쓰시오.

01 He <u>cans</u> speak two languages. (→ _____)

02 Can your brother <u>plays</u> the piano? (→ _____)

03 You may <u>visits</u> us this weekend. (→ _____)

04 I <u>not am able to</u> ride a bike. (→ _____)

05 We <u>can not</u> watch a movie tonight. (→ _____)

06 She is able to <u>cooks</u> spaghetti. (→ _____)

07 May I <u>using</u> your cellphone? (→ _____)

08 <u>Is</u> your parents able to help us? (→ _____)

09 John can't <u>goes</u> to school today. (→ _____)

10 Can I <u>opened</u> the window? (→ _____)

B 다음 주어진 문장을 지시대로 바꾸어 쓰시오.

01 He can attend the meeting.

부정문 _____

02 I am able to go with you.

부정문 _____

03 They are able to take the train.

부정문 _____

04 She is able to speak Chinese.

의문문 _____

05 The baby can count.

의문문 _____

06 We may watch TV after dinner.

의문문 _____

A 다음 주어진 우리말과 일치하도록 빈칸에 알맞은 말을 쓰시오.

01 나는 그의 목소리를 잘 들을 수 없다.

→ I _____ _____ his voice well.

02 너의 어머니는 케이크를 만들 수 있으시니?

→ _____ your mother _____ to _____ a cake?

03 나중에 나에게 다시 전화해줄 수 있겠니?

→ _____ you _____ me back later?

04 너는 내일 친구를 만나도 좋다.

→ You _____ _____ your friend tomorrow.

05 화장실에 가도 될까요?

→ _____ I _____ to the bathroom?

B 다음 보기와 같이 주어진 단어를 사용하여 지시대로 문장을 만드시오.

보기 the dog / can / swim well   긍정문 _The dog can swim well._

01 you / can / wear my coat

긍정문 _____

02 they / be able to / use chopsticks

부정문 _____

03 David / can / win a gold medal

부정문 _____

04 a penguin / be able to / fly

의문문 _____

05 I / may / have some cake

의문문 _____

Sentence Writing

Writing Guide

- 능력, 가능을 나타낼 때 「주어 + can + 동사원형」을 쓴다. → It can fly.
- 능력, 가능을 나타낼 때 「주어 + am/are/is able to + 동사원형」을 쓴다. → He is able to swim.
- 허락을 나타낼 때 「주어 + may/can + 동사원형」을 쓴다. → You may go now. You can sit here.

A 다음 우리말과 일치하도록 주어진 단어를 올바르게 배열하시오.

01 우리는 그의 질문을 이해할 수 없다. (understand, his, cannot, question, we)

➡ _____

02 너는 내 영어 선생님을 기억할 수 있니? (can, my English teacher, remember, you, ?)

➡ _____

03 그녀는 제시간에 도착할 수 없다. (not, she, arrive, is, on time, able to)

➡ _____

04 의자에 앉아도 될까요? (on the chair, sit, may, I, ?)

➡ _____

B 다음 주어진 말을 이용하여 우리말을 영작하시오.

01 우리는 그 강을 헤엄쳐 건널 수 있다. (swim across)

➡ _____

02 Emma는 그녀의 자전거를 고칠 수 없다. (can, fix)

➡ _____

03 너는 파티에 올 수 있니? (be able to, to the party)

➡ _____

04 너희는 휴식을 취해도 좋다. (take a rest)

➡ _____

05 너와 함께 하이킹을 가도 될까? (with you)

➡ _____

A 다음 문장에서 알맞은 것을 고르시오.

01 We can | be able to see your face well.

02 The girls is not able to | are not able to climb the tree.

03 Can | Are you play | able to the drum?

04 The boy cannot | can not fly a kite.

05 May | Am I use | using the bathroom?

B 다음 주어진 우리말과 일치하도록 빈칸에 알맞은 말을 쓰시오.

01 우리는 그 호수에서 물고기를 잡을 수 없다.

→ We ＿＿＿＿＿＿ ＿＿＿＿＿＿ able to ＿＿＿＿＿ fish in the lake.

02 너는 파티에 네 친구들을 초대해도 좋다.

→ You ＿＿＿＿＿＿ ＿＿＿＿＿＿ your friends to the party.

03 그 아이들은 알파벳을 쓸 수 있니?

→ ＿＿＿＿＿＿ the children ＿＿＿＿＿ the alphabet?

C 다음 주어진 말을 이용하여 우리말을 영작하시오.

01 너는 그의 이야기를 믿을 수 있니? (believe)

→ ＿＿＿＿＿＿＿＿＿＿＿＿＿＿＿＿＿＿＿＿＿＿＿＿＿＿＿＿＿

02 그는 스케이트보드를 탈 수 없다. (can, ride a skateboard)

→ ＿＿＿＿＿＿＿＿＿＿＿＿＿＿＿＿＿＿＿＿＿＿＿＿＿＿＿＿＿

03 나는 그 약속을 지킬 수 있다. (be able to, keep the promise)

→ ＿＿＿＿＿＿＿＿＿＿＿＿＿＿＿＿＿＿＿＿＿＿＿＿＿＿＿＿＿

04 물을 좀 마셔도 될까요? (some)

→ ＿＿＿＿＿＿＿＿＿＿＿＿＿＿＿＿＿＿＿＿＿＿＿＿＿＿＿＿＿

UNIT 08 의무, 충고의 조동사

Grammar Point

A 의무의 조동사 must

'~해야 한다'라는 의무를 나타낼 때 조동사 must를 사용한다. 부정형 must not (= mustn't)은
'~해서는 안 된다'라는 금지를 나타낸다.

	문장의 종류 및 형태	예문
긍정문	주어 + must + 동사원형	I must go now. 나는 지금 가야 한다.
부정문	주어 + must not (= mustn't) + 동사원형	You mustn't park here. 너는 여기에 주차하면 안 된다.

B 의무를 나타내는 have to

have to도 must와 같이 '~해야 한다'라는 의무를 나타낼 때 사용한다. 부정형 don't/doesn't have to는
'~할 필요가 없다'라고 해석하고, 의문문은 Do/Does를 주어 앞에 쓴다.

	문장의 종류 및 형태	예문
긍정문	I/You/We/They + have to + 동사원형 He/She/It + has to + 동사원형	You have to go now. 너는 지금 가야 한다. She has to go now. 그녀는 지금 가야 한다.
부정문	I/You/We/They + don't have to + 동사원형 He/She/It + doesn't have to + 동사원형	I don't have to run. 나는 뛸 필요가 없다. He doesn't have to run. 그는 뛸 필요가 없다.
의문문	Do + I/you/we/they + have to + 동사원형 ~? Does + he/she/it + have to + 동사원형 ~?	Do we have to hurry? 우리는 서둘러야 하나요? Does he have to hurry? 그는 서둘러야 하나요?

C 의무, 충고의 조동사 should

'~해야 한다, ~하는 게 좋다'라는 의무나 충고를 나타낼 때 조동사 should를 사용한다. 부정형 should not
(= shouldn't)은 '~해서는 안 된다'라는 금지를 나타낸다.

	문장의 종류 및 형태	예문
긍정문	주어 + should + 동사원형	I should study. 나는 공부해야 한다.
부정문	주어 + should not (= shouldn't) + 동사원형	You shouldn't tell lies. 너는 거짓말하면 안 된다.

➡ **Grammar Plus** should는 must나 have to보다 좀 더 부드럽게 이야기할 때 쓴다.
You should leave early. 너는 일찍 떠나는 것이 좋겠다.　You must leave early. 너는 일찍 떠나야 한다.

A 다음 문장에서 알맞은 것을 고르시오.

01 He musts | must get up early.

02 I have to clean | cleaned the house.

03 You must not | have not to touch it.

04 Amy have to | has to wait for her sister.

05 Does she have | has to take medicine?

06 We don't have to | not must wear sunglasses.

07 She should washes | should wash her hands.

08 Students should not are | be late for school.

09 Are | Do they have to eat dinner?

10 We don't must | must not cross the street here.

11 Do | Does Kate have to hurry?

12 You shouldnot | shouldn't feed the animals at the zoo.

Grammar Guide
· 조동사 must, should는 주어에 상관없이 같은 형태를 사용하고, 뒤에는 동사원형이 온다.
· 의무를 나타내는 have to는 주어에 따라 have to 또는 has to를 사용한다.

B 다음 문장을 밑줄 친 부분에 유의하여 해석하시오.

01 We <u>must brush</u> our teeth after meals.

→ _____

02 You <u>must not play</u> the piano at night.

→ _____

03 I <u>don't have to buy</u> a new bike.

→ _____

04 She <u>should go</u> to the dentist.

→ _____

05 Do we <u>have to turn off</u> our cellphones?

→ _____

Grammar Practice II

A 다음 두 문장이 같은 의미가 되도록 빈칸에 알맞은 말을 쓰시오.

01 She must save some money.

= She _____ _____ save some money.

> **Grammar Guide**
> • must와 have to는 서로 바꾸어 쓸 수 있는데, must는 주어에 상관없이 같은 형태를 쓰고, have to는 주어의 인칭과 수에 따라 have to 또는 has to를 쓴다.

02 You must follow his advice.

= You _____ _____ follow his advice.

03 Drivers must stop at the red lights.

= Drivers _____ _____ stop at the red lights.

04 My sister has to go to the hospital.

= My sister _____ go to the hospital.

05 We have to do exercise every day.

= We _____ do exercise every day.

B 다음 문장에서 밑줄 친 부분을 바르게 고쳐 쓰시오.

01 She must <u>does</u> the dishes.   (➡ _____)

02 We <u>have not to</u> help them.   (➡ _____)

03 The child <u>musts not</u> eat peanuts.   (➡ _____)

04 He doesn't have to <u>works</u> today.   (➡ _____)

05 Young children <u>must swim not</u> here.   (➡ _____)

06 Your sister <u>have</u> to take a piano lesson.   (➡ _____)

07 Do they <u>must</u> go to school?   (➡ _____)

08 <u>Must</u> I have to turn off the light?   (➡ _____)

09 Does Mr. Brown <u>has to</u> buy a new car?   (➡ _____)

10 You <u>read should</u> the newspaper.   (➡ _____)

11 She should not <u>sings</u> at night.   (➡ _____)

12 You <u>don't should</u> waste time.   (➡ _____)

A 다음 주어진 우리말과 일치하도록 must나 have to를 사용하여 빈칸을 채우시오.

01 그녀는 서점에 갈 필요가 없다.

→ She _____ _____ to _____ to the bookstore.

02 우리는 하루에 8잔의 물을 마셔야 한다.

→ We _____ _____ 8 glasses of water a day.

03 너는 내 비밀을 말하면 안 된다.

→ You _____ _____ _____ my secret.

04 그는 개에게 먹이를 주어야 하니?

→ _____ he _____ _____ _____ his dog?

05 John은 그의 컴퓨터를 고쳐야 한다.

→ John _____ _____ _____ his computer.

B 다음 보기와 같이 주어진 문장을 지시대로 바꾸어 쓰시오.

| 보기▶ You have to come here. | 부정문 __You do not (= don't) have to come here.__ |

01 He has to wear a helmet.

부정문▶ _____

02 I must change my plan.

부정문▶ _____

03 You should read the book.

부정문▶ _____

04 Jane has to visit her grandparents.

의문문▶ _____

05 The students have to take a test.

의문문▶ _____

Sentence Writing

Writing Guide

- 의무를 나타낼 때 「주어 + must + 동사원형」을 쓴다. → She must study hard.
- 의무를 나타낼 때 「주어 + have/has to + 동사원형」을 쓴다. → I have to sleep. He has to sleep.
- 의무나 충고를 나타낼 때 「주어 + should + 동사원형」을 쓴다. → You should wash the dishes.

A 다음 우리말과 일치하도록 주어진 단어를 올바르게 배열하시오.

01 내 남동생은 일찍 일어날 필요가 없다. (early, have to, my, wake up, doesn't, brother)

→ _____

02 너는 어머니의 말을 들어야 한다. (listen to, you, your mother, should)

→ _____

03 우리는 그 약속을 어기면 안 된다. (the promise, not, break, must, we)

→ _____

04 내 친구는 마지막 기차를 타야 한다. (the last train, has to, my, catch, friend)

→ _____

B 다음 주어진 말을 이용하여 우리말을 영작하시오.

01 우리는 에너지를 낭비하면 안 된다. (should, waste energy)

→ _____

02 너희는 떠들면 안 된다. (must, make any noise)

→ _____

03 그는 오늘 그 일을 끝낼 필요가 없다. (finish the work)

→ _____

04 제가 진실을 말해야 하나요? (tell the truth)

→ _____

05 학생들은 학교에서 규칙들을 따라야 한다. (must, follow the rules)

→ _____

A 다음 문장에서 알맞은 것을 고르시오.

01 He   must stays | must stay   at home this weekend.

02 We   have not to | don't have to   call the police.

03 Does your father   have to | has to   wear glasses?

04 You must not   be | are   absent next Monday.

05 People   should not | not should   cross the street at red lights.

B 다음 주어진 우리말과 일치하도록 should나 have to를 사용하여 빈칸을 채우시오.

01 그녀는 독후감을 써야 하니?

→ _____ she _____ to _____ a book report?

02 우리는 비밀번호를 잊어버리면 안 된다.

→ We _____ _____ _____ the password.

03 너희는 그 시험에 대해 걱정할 필요가 없다.

→ You _____ _____ _____ worry about the test.

C 다음 주어진 말을 이용하여 우리말을 영작하시오.

01 우리는 물을 절약해야 한다. (have to, save)

→ _____

02 너는 도서관에서 소리를 지르면 안 된다. (should, shout)

→ _____

03 그들은 그 책을 돌려줄 필요가 없다. (return)

→ _____

04 그는 그의 기차표를 사야 하니? (train ticket)

→ _____

Actual Test

[01–02] 다음 빈칸에 들어갈 수 있는 것을 고르시오.

01 _____ your mother able to drive a car?

① Can ② Is ③ Does ④ Are ⑤ Do

02 It won't rain today. You _____ bring your umbrella.

① must ② may ③ should ④ don't have to ⑤ have to

03 다음 빈칸에 들어갈 수 <u>없는</u> 것을 고르시오.

Jackson _____ finish his homework.

① can ② is able to ③ cannot ④ have to ⑤ should

[04–05] 다음 두 문장이 같은 의미가 되도록 빈칸에 들어갈 알맞은 것을 고르시오.

04
Emily can't speak Spanish.
= Emily _____ speak Spanish.

① must not ② doesn't have to ③ isn't able to
④ has to ⑤ should not

05
We must keep the secret.
= We _____ keep the secret.

① have to ② are able to ③ can ④ has to ⑤ may

[06–07] 다음 대화의 빈칸에 들어갈 알맞은 것을 고르시오.

06
Ⓐ _____ I watch TV? Ⓑ No. You _____ study English.

① Can, may ② May, should ③ Are, may ④ May, can't ⑤ Can, has to

07
Ⓐ I _____ wake up early tomorrow. Ⓑ You _____ stay up late.

① can't, can't ② must, may ③ can, should
④ must, should not ⑤ must not, should not

08 다음 중 밑줄 친 부분의 의미가 다른 하나를 고르시오.

① She <u>can</u> play the flute. ② We <u>can</u> finish the work on time.
③ <u>Can</u> he ride a bike? ④ <u>Can</u> I use your pencil?
⑤ I <u>can</u> win the race.

09 다음 중 올바른 문장을 고르시오.

① Does Jane able to make pizza? ② He doesn't has to buy new shoes.
③ Cans he ride a skateboard? ④ She should clean the room.
⑤ You don't must hit your brother.

10 다음 중 문장을 지시대로 바르게 바꾼 것을 고르시오.

① She can pass the test. 부정문 She can not pass the test.
② They are able to play the violin. 의문문 Do they able to play the violin?
③ We may ask a question. 의문문 May we ask a question?
④ He has to make dinner. 의문문 Does he has to make dinner?
⑤ I must open the door. 부정문 I must open not the door.

[11-12] 다음 우리말을 영작했을 때 밑줄 친 부분 중 틀린 것을 고르시오.

11 내가 너를 도와줄 수 있다. 그래서 너는 너무 걱정할 필요가 없다.

→ I <u>can</u> <u>able</u> to <u>help</u> you. So you <u>don't</u> <u>have to</u> worry too much.
 ① ② ③ ④ ⑤

12 그 그림을 만져봐도 될까요? 아니, 너는 그것을 만지면 안 된다.

→ <u>May</u> I <u>touch</u> the painting? No, you <u>should</u> <u>not</u> <u>touched</u> it.
 ① ② ③ ④ ⑤

13 다음 중 우리말을 올바르게 영작한 것이 아닌 것을 고르시오.

① 지금 떠나도 될까요? → Can I leave now?
② 우리는 학교에 걸어갈 필요가 없다. → We don't have to walk to school.
③ 그는 첫 기차를 타야 하니? → Does he has to take the first train?
④ 나는 지금 너와 놀 수 없다. → I cannot play with you now.
⑤ 너는 진실을 말하면 안 된다. → You must not tell the truth.

[14-15] 다음 주어진 우리말과 일치하도록 빈칸에 알맞은 말을 쓰시오.

14 그녀는 아침 일찍 전화할 필요가 없다.

→ She _____ _____ to _____ early in the morning.

15 우리는 오늘 밤 북극성을 볼 수 없다.

→ We _____ _____ to _____ the North Star tonight.

[16-17] 다음 주어진 말을 이용하여 우리말을 영작하시오.

16 Sally는 여동생을 돌볼 수 있니? (take care of)

→ _____

17 너는 네 친구들과 싸우면 안 된다. (must, with your friends)

→ _____

[18-20] 다음 표를 보고 James가 해야 하는 일과 할 수 있는 일에 대한 글을 완성하시오.

(must, have to, can, be able to 사용)

	To Do List	Can Do List
Monday	study English	not play games
Tuesday	take an English test	watch TV
Saturday	clean the house	meet play soccer friends

18 James _____ _____ an English test on Tuesday.

So he _____ to study English on Monday.

19 James _____ able to _____ games on Monday.

But he _____ _____ TV after the test on Tuesday.

20 _____ James _____ to _____ the house on Saturday?

Yes, but he _____ also _____ soccer.

Chapter 05 형용사

✔ 영작 Key Point

형용사	명사 수식	형용사 + 명사	He is a clever boy.
	주어의 보충 설명	주어 + 동사 + 형용사	He feels happy.
수량형용사	many	셀 수 있는 명사	I have many pens.
	much	셀 수 없는 명사	I don't have much time.
	a lot of	셀 수 있는 명사 셀 수 없는 명사	She buys a lot of books. She eats a lot of pizza.
	some (긍정문)	셀 수 있는 명사 셀 수 없는 명사	I have some pens/money.
	any (부정문, 의문문)		I don't have any pens. Do you have any milk?

UNIT 09 형용사의 역할과 쓰임

형용사는 사람이나 사물의 생김새, 상태, 성질 등이 어떠한지를 나타내는 말로, 명사를 꾸며주거나 주어를 보충 설명해주는 역할을 한다.

A 명사 수식

형용사는 주로 명사 앞에 와서 명사를 꾸며주어 명사를 더 구체적으로 설명해준다.

형용사 + 명사	예문
new bicycle	I like my <u>new bicycle</u>. 나는 내 새 자전거를 좋아한다.
cute girl	A <u>cute girl</u> is crying. 귀여운 소녀가 울고 있다.
big house	They live in the <u>big house</u>. 그들은 그 큰 집에서 산다.
honest man	He is an <u>honest man</u>. 그는 정직한 사람이다.
long ears	A rabbit has two <u>long ears</u>. 토끼는 두 개의 긴 귀를 가지고 있다.

➔ **Grammar Plus** a/an/the나 수를 나타내는 말, 소유격 등은 「형용사 + 명사」 앞에 온다.

B 주어를 보충 설명

형용사는 동사 뒤에 와서 주어의 성질이나 상태를 나타내는데, 주로 be동사나 look/feel/taste/smell/sound처럼 감각과 관련한 동사 뒤에 와서 주어를 보충 설명해준다.

주어	동사	형용사	해석
I	am	tired.	나는 피곤하다.
The movie	was	interesting.	그 영화는 재미있었다.
The window	looked	dirty.	그 창문은 지저분해 보였다.
He	felt	thirsty.	그는 갈증을 느꼈다.
Lemons	taste	sour.	레몬은 신맛이 난다.
The peach	smells	sweet.	그 복숭아는 단 냄새가 난다.
His voice	sounds	strange.	그의 목소리는 이상하게 들린다.

A 다음 문장에서 형용사를 찾아 밑줄을 긋고 해석하시오.

01 We had a wonderful time in Korea.

→ _____

02 The fast runner will win the race.

→ _____

03 This bread smells very delicious.

→ _____

04 I saw two scary movies.

→ _____

05 The question was very difficult.

→ _____

06 His new cellphone looked expensive.

→ _____

B 다음 문장에서 알맞은 것을 고르시오.

01 He was a   lucky | luck   man.

02 Are you a   fast learner | learner fast   ?

03 The soup tastes very   bad | badly   .

04 Your plan sounds   interest | interesting   .

05 She has a   voice beautiful | beautiful voice   .

06 He doesn't have any   bad habits | habits bad   .

07 What is in   the heavy | heavy the   box?

08 I will buy   warm two | two warm   gloves.

09 Did you see   his new jacket | new his jacket   ?

10 This was   an easy question | a question easy   .

> **Grammar Guide**
> • 형용사는 명사 앞에 와서 명사를
>   꾸며주거나 동사 뒤에 와서 주어를 보충
>   설명해준다.
> • a/an/the나 수를 나타내는 말, 소유격
>   등은 「형용사 + 명사」 앞에 온다.

Grammar Practice II

A 다음 문장에서 밑줄 친 부분을 바르게 고쳐 쓰시오.

01 It isn't a <u>place safe</u>.　　　　　　　　(➝ _____)

02 They are very <u>importance</u> plans.　　(➝ _____)

03 It tasted <u>badly</u>.　　　　　　　　　　(➝ _____)

04 He was an <u>honestly</u> man.　　　　　　(➝ _____)

05 She has a <u>family big</u>.　　　　　　　　(➝ _____)

06 <u>New your hat</u> looks too big.　　　　　(➝ _____)

07 The coffee smells <u>greatly</u>.　　　　　　(➝ _____)

08 I visited <u>beautiful many countries</u>.　 (➝ _____)

09 His new computer is very <u>well</u>.　　　 (➝ _____)

10 Do you know the <u>love</u> girl?　　　　　(➝ _____)

B 다음 보기와 같이 두 문장을 한 문장으로 바꾸어 쓰시오.

> **보기** I ate an orange. It was sweet.　➝　__I ate a sweet orange.__

01 I heard the news. It was surprising.

➝ _____

02 This is my backpack. It is new.

➝ _____

03 Paul lost his watch. It was expensive.

➝ _____

04 He is reading a novel. It is sad.

➝ _____

05 The farmer has three oxen. They are strong.

➝ _____

A 다음 주어진 우리말과 일치하도록 빈칸에 알맞은 말을 쓰시오.

01 그 용감한 소방관은 내 삼촌이다.

→ The ＿＿＿＿＿＿＿ ＿＿＿＿＿＿＿ is my uncle.

02 그것들은 매우 쉬운 문제들이었다.

→ They were very ＿＿＿＿＿＿＿ ＿＿＿＿＿＿＿.

03 이 음료는 달고 신 맛이 난다.

→ This drink ＿＿＿＿＿＿＿ ＿＿＿＿＿＿＿ and ＿＿＿＿＿＿＿.

04 네 친구는 어제 화가 나 보였다.

→ Your friend ＿＿＿＿＿＿＿ ＿＿＿＿＿＿＿ yesterday.

05 저 높고 아름다운 건물은 무엇이니?

→ What is that ＿＿＿＿＿＿＿ and ＿＿＿＿＿＿＿ ＿＿＿＿＿＿＿?

B 다음 괄호 안의 형용사를 올바른 위치에 넣어 문장을 다시 쓰시오.

01 The chicken soup doesn't smell. (good)

→ ＿＿＿＿＿＿＿＿＿＿＿＿＿＿＿＿＿＿＿＿＿＿＿＿＿＿

02 We saw a man. (strange)

→ ＿＿＿＿＿＿＿＿＿＿＿＿＿＿＿＿＿＿＿＿＿＿＿＿＿＿

03 I didn't remember her bag. (round)

→ ＿＿＿＿＿＿＿＿＿＿＿＿＿＿＿＿＿＿＿＿＿＿＿＿＿＿

04 They are helping two people. (poor)

→ ＿＿＿＿＿＿＿＿＿＿＿＿＿＿＿＿＿＿＿＿＿＿＿＿＿＿

05 We felt at the news. (sad)

→ ＿＿＿＿＿＿＿＿＿＿＿＿＿＿＿＿＿＿＿＿＿＿＿＿＿＿

Sentence Writing

A 다음 우리말과 일치하도록 주어진 단어를 올바르게 배열하시오.

01　그 부유한 남자는 큰 집에서 살고 있다. (the, is, a, living, in, big, rich, man, house)

➡ _____

02　그들의 새로운 계획은 매우 창의적이었다. (new, was, creative, idea, their, very)

➡ _____

03　그 높은 산은 위험해 보인다. (dangerous, high, the, looks, mountain)

➡ _____

04　우리는 숲에서 많은 야생동물들을 보았다. (animals, we, in the forest, saw, wild, many)

➡ _____

B 다음 주어진 말을 이용하여 우리말을 영작하시오.

01　그의 긴 이야기는 지루하게 들렸다. (boring)

➡ _____

02　그 기말 시험은 쉽지 않았다. (the final exam)

➡ _____

03　이 오래된 치즈는 신맛이 난다. (sour)

➡ _____

04　그들은 튼튼하고 아름다운 집을 지었다. (build)

➡ _____

05　그녀는 두 개의 다른 언어를 말한다. (different, language)

➡ _____

A 다음 문장에서 알맞은 것을 고르시오.

01 Who knows the handsome boy | boy handsome ?

02 Her new song sounds sad | sadly .

03 Do you miss your old | old your friends?

04 The little girl looks sleep | sleepy .

05 It has a big nose and two small | small two eyes.

B 다음 주어진 우리말과 일치하도록 빈칸에 알맞은 말을 쓰시오.

01 그 인기 있는 농구 선수는 키가 매우 크다.

→ The _____ basketball player is very _____.

02 그 노란 꽃들은 냄새가 좋지 않다.

→ The _____ flowers don't _____ _____.

03 그 어린 아이들은 그 무서운 이야기를 좋아했다.

→ The _____ children liked the _____ story.

C 다음 주어진 말을 이용하여 우리말을 영작하시오.

01 우리는 두 개의 심각한 문제를 가지고 있다. (serious)

→ _____

02 그녀의 새로운 계획은 어리석게 들렸다. (stupid)

→ _____

03 그 둥근 상자는 비어 있었다. (empty)

→ _____

04 그 작은 고양이는 사랑스러워 보인다. (lovely)

→ _____

UNIT 10 수량형용사

Grammar Point

수량형용사는 명사 앞에 와서 그 명사의 막연한 수나 양의 정도를 나타내는 형용사이다.

A many, much, a lot of

many, much, a lot of는 수나 양이 '많은'이라는 같은 의미의 수량형용사이지만, many는 셀 수 있는 명사 앞에, much는 셀 수 없는 명사 앞에 쓴다. a lot of는 셀 수 있는 명사와 셀 수 없는 명사 앞에 모두 쓸 수 있다.

수량형용사	함께 쓰는 명사	예문
many	셀 수 있는 명사	We bought many books. 우리는 많은 책을 샀다. Many fish are in the lake. 많은 물고기들이 호수에 있다.
much	셀 수 없는 명사	He doesn't use much money. 그는 많은 돈을 쓰지 않는다. I don't have much time. 나는 시간이 많지 않다.
a lot of (= lots of)	셀 수 있는 명사 셀 수 없는 명사	She knows a lot of songs. 그녀는 많은 노래를 안다. They saw lots of sheep. 그들은 많은 양들을 보았다. We have a lot of milk. 우리는 많은 우유를 가지고 있다. He drinks lots of water. 그는 물을 많이 마신다.

Grammar Plus 수량형용사 뒤에 오는 셀 수 있는 명사는 복수형으로 쓴다.

many apple (X)   many apples (O)   a lot of a kite (X)   a lot of kites (O)

B some, any

some, any는 '약간의, 조금의'라는 의미의 수량형용사로 셀 수 있는 명사와 셀 수 없는 명사 앞에 모두 쓸 수 있다. some은 긍정문에서, any는 부정문과 의문문에서 주로 사용한다.

문장의 종류	수량형용사	함께 쓰는 명사	예문
긍정문	some	셀 수 있는 명사 셀 수 없는 명사	He has some books. 그는 책이 몇 권 있다. He has some money. 그는 돈이 조금 있다.
부정문	any		He doesn't have any books. 그는 책이 하나도 없다. He doesn't have any money. 그는 돈이 조금도 없다.
의문문	any		Does he have any books? 그는 책이 몇 권 있니? Does he have any money? 그는 돈이 조금 있니?

Grammar Plus 권유나 요청을 나타내는 의문문에서는 some을 쓴다.

Would you like some tea? 차를 좀 드시겠어요?

Can you give me some advice? 저에게 조언을 좀 해 주시겠어요?

A 다음 문장에서 알맞은 것을 고르시오.

01   Many | Much   people were in the museum.

02 They didn't waste   many | much   time.

03   A lot of | Many   snow is on the roof.

04 Did you see   many | much   deer in the forest?

05 Many   students | student   solved the question.

06 Do they need many   boxes | paper   ?

07 She knows   a lot of | much   fun stories.

08 Did you buy much   apples | ice cream   ?

09 She ate   lots of | much   red tomatoes.

10 We need   a lot of | many   fresh water.

11 Did you save   many | much   money?

12 The pianist played   many | much   beautiful songs.

> **Grammar Guide**
> • many는 셀 수 있는 명사 앞에, much는 셀 수 없는 명사 앞에 온다.
> • a lot of (= lots of)는 셀 수 있는 명사와 셀 수 없는 명사 앞에 모두 올 수 있다.

B 다음 빈칸에 some과 any 중 알맞은 것을 쓰시오.

01 I didn't drink _____ cold drinks last night.

02 The scientist got _____ important information.

03 _____ students are playing soccer.

04 Would you like _____ hotdogs?

05 Ⓐ Do you have _____ good ideas?

   Ⓑ Yes, I have _____ great ideas.

06 Ⓐ Did your mother buy _____ sugar?

   Ⓑ No, she didn't buy _____ sugar.

07 Ⓐ Would you like _____ hot chocolate?

   Ⓑ Yes, I'd like _____ hot chocolate.

> **Grammar Guide**
> • some은 긍정문에서, any는 부정문과 의문문에서 쓴다.
> • 권유나 요청을 나타내는 의문문에는 some을 쓴다.

Grammar Practice II

A 다음 문장의 밑줄 친 부분을 **many** 또는 **much**로 바꾸어 쓰시오.

01 He watched <u>a lot of</u> movies last month.　　　(➡ _____)

02 We don't have <u>lots of</u> homework today.　　　(➡ _____)

03 Does she make <u>a lot of</u> money?　　　　　　 (➡ _____)

04 I bought <u>lots of</u> concert tickets.　　　　　 (➡ _____)

05 They didn't want <u>lots of</u> help.　　　　　　 (➡ _____)

06 This project won't take <u>a lot of</u> time.　　　 (➡ _____)

07 <u>Lots of</u> sugar is not good for your health.　　(➡ _____)

08 <u>A lot of</u> mice were on the ceiling.　　　　　 (➡ _____)

B 다음 보기와 같이 주어진 단어와 **some** 또는 **any**를 사용하여 지시대로 문장을 만드시오.

> 보기 ▶ I / have / carrots　　부정문 ▶ I don't have any carrots.

01 John / drink / orange juice

긍정문 ▶ _____

02 we / have / time tonight

긍정문 ▶ _____

03 the baker / use / sugar

부정문 ▶ _____

04 the students / write / letters

부정문 ▶ _____

05 you / read / magazines

의문문 ▶ _____

06 she / need / useful advice

의문문 ▶ _____

A 다음 우리말과 일치하도록 빈칸에 알맞은 말을 쓰시오.

01 그 식물은 약간의 물과 햇빛이 필요하다.

→ The plant needs _____ _____ and sunlight.

02 너는 영어를 조금 할 줄 아니?

→ Do you speak _____ _____?

03 그들은 영화를 전혀 보지 않는다.

→ They don't watch _____ _____.

04 많은 사람들이 그녀의 생일파티에 왔다.

→ _____ _____ came to her birthday party.

05 나는 할 일이 많지 않다. 나는 시간이 많다.

→ I don't have _____ work. I have a _____ of _____.

B 다음 문장의 틀린 부분을 바르게 고쳐 문장을 다시 쓰시오.

01 He spent any time with his friend yesterday.

→ _____

02 My father didn't drink many coffee last night.

→ _____

03 Did they take some pictures?

→ _____

04 Much beautiful pictures were on the wall.

→ _____

05 Would you like any strawberries?

→ _____

Sentence Writing

Writing Guide

- many는 셀 수 있는 명사 앞에, much는 셀 수 없는 명사 앞에 쓴다. → I have many pens. I don't have much time.
- a lot of는 셀 수 있는 명사와 셀 수 없는 명사 앞에 모두 쓴다. → We want a lot of pens/advice.
- some은 긍정문에, any는 부정문과 의문문에 쓴다. → I have some money. Do you have any money?

A 다음 우리말과 일치하도록 주어진 단어를 올바르게 배열하시오.

01 그 노인은 돈이 전혀 없었다. (have, man, money, the old, didn't, any)

➡ _____

02 초콜릿을 좀 드실래요? (you, some, would, chocolate, like, ?)

➡ _____

03 그는 도움이 되는 많은 조언을 얻었니? (get, did, advice, he, a lot of, helpful, ?)

➡ _____

04 그녀는 파티를 위한 많은 계획을 가지고 있다. (plans, she, for the party, has, many)

➡ _____

B 다음 주어진 말을 이용하여 우리말을 영작하시오.

01 우리는 금요일에 수업이 많지 않다. (class, on Friday)

➡ _____

02 그는 어제 음식을 조금도 먹지 않았다. (food)

➡ _____

03 그녀는 오늘 숙제가 많니?

➡ _____

04 그의 보고서에는 약간의 실수가 있었다. (report, mistake)

➡ _____

05 너희는 질문이 좀 있니? (question)

➡ _____

A 다음 문장에서 알맞은 것을 고르시오.

01 The young boy is eating any | some cookies.

02 Do you have much | a lot of cousins?

03 I didn't eat much salad | hamburgers .

04 Does she put some | any sugar in her coffee?

05 The project will have many | any problems.

B 다음 주어진 우리말과 일치하도록 빈칸에 알맞은 말을 쓰시오.

01 우리는 도서관에서 많은 시간을 보내지 않는다.

→ We don't spend ＿＿＿＿＿ ＿＿＿＿＿ at the library.

02 따뜻한 수프를 좀 드실래요?

→ Would you like ＿＿＿＿＿ ＿＿＿＿＿ ＿＿＿＿＿?

03 그녀는 사진을 좀 찍었니? 응, 그녀는 많은 사진을 찍었어.

→ Did she take ＿＿＿＿＿ pictures? Yes, she took ＿＿＿＿＿ pictures.

C 다음 주어진 말을 이용하여 우리말을 영작하시오.

01 그는 실수를 조금도 하지 않는다. (make, mistake)

→ ＿＿＿＿＿＿＿＿＿＿＿＿＿＿＿＿＿＿＿＿＿＿＿＿

02 그녀는 매년 약간의 채소를 심는다. (vegetable, every year)

→ ＿＿＿＿＿＿＿＿＿＿＿＿＿＿＿＿＿＿＿＿＿＿＿＿

03 나는 어젯밤에 많은 별을 보았다. (star)

→ ＿＿＿＿＿＿＿＿＿＿＿＿＿＿＿＿＿＿＿＿＿＿＿＿

04 그들은 많은 돈을 빌렸니? (borrow)

→ ＿＿＿＿＿＿＿＿＿＿＿＿＿＿＿＿＿＿＿＿＿＿＿＿

Actual Test

[01-02] 다음 빈칸에 들어갈 수 <u>없는</u> 것을 고르시오.

01 I watched a movie last night. It was _____.

① boring   ② excellent   ③ greatly   ④ wonderful   ⑤ sad

02 It _____ good.

① tastes   ② smells   ③ looks   ④ watches   ⑤ sounds

[03-04] 다음 빈칸에 들어갈 수 있는 것을 고르시오.

03 Does she have many _____?

① water   ② book   ③ time   ④ pencils   ⑤ money

04 He didn't need much _____.

① paper   ② boxes   ③ chairs   ④ ball   ⑤ gloves

[05-06] 다음 대화의 빈칸에 들어갈 알맞은 것을 고르시오.

05 ⓐ Do you have _____ butter?   ⓑ No, I don't.

① some   ② any   ③ a lot   ④ a   ⑤ many

06 ⓐ Would you like _____ cookies?   ⓑ Yes, please.

① some   ② any   ③ a lot   ④ a   ⑤ much

07 다음 빈칸에 알맞은 말이 바르게 짝지어진 것을 고르시오.

· _____ students like vegetables.
· Do you have _____ dreams?
· She didn't eat _____ meat.

① Any – some – some   ② Any – any – some   ③ Some – any – some
④ Some – any – any   ⑤ Any – some – any

08 다음 빈칸에 공통으로 들어갈 알맞은 것을 고르시오.

> · I spend _____ time with my sister.
> · They didn't see _____ famous actors.
> · Does he have _____ work today?

① some   ② any   ③ a lot of   ④ much   ⑤ many

09 다음 중 밑줄 친 부분이 올바른 것을 고르시오.

① Mr. Anderson was <u>a doctor nice</u>.   ② Does she have <u>some milk</u>?
③ I feel <u>strangely</u> today.   ④ <u>A lot of cheese</u> is on the pizza.
⑤ He doesn't make <u>many money</u>.

10 다음 중 올바른 문장이 <u>아닌</u> 것을 고르시오.

① The sofa looks very softly.   ② Will you have some apples?
③ Many people like her beautiful voice.   ④ I spent some time in London.
⑤ Does she want any information?

[11–12] 다음 우리말을 영작했을 때 밑줄 친 부분 중 틀린 것을 고르시오.

11 Kate는 어제 많은 음식을 먹었다. 그래서 그녀는 배가 고프지 않다.

➡ Kate <u>ate</u> <u>a lot of</u> food yesterday. So she <u>doesn't</u> <u>feel</u> <u>hunger</u>.
　　 ①　 ②　　　　　　　　　　　　　 ③　 ④　 ⑤

12 빵을 좀 드실래요? 그것은 아주 맛이 있어요.

➡ <u>Would</u> you like <u>any</u> <u>bread</u>? <u>It</u> is very <u>delicious</u>.
　 ①　　　　 ②　 ③　 ④　　　　 ⑤

13 다음 중 우리말을 올바르게 영작한 것을 고르시오.

① 나는 귀여운 고양이 두 마리를 가지고 있다. → I have cute two cats.
② 우리는 희망이 많지 않다. → We don't have many hope.
③ 너는 많은 문제를 풀었니? → Did you solve much questions?
④ 이 커피는 맛이 좋다. → This coffee tastes good.
⑤ 그녀는 신선한 야채를 조금 샀다. → She bought any fresh vegetables.

다음 문장의 틀린 부분을 바르게 고쳐 문장을 다시 쓰시오.

14 The police officer looked honesty.

➡ _____

15 She doesn't have much toys in her room.

➡ _____

[16-18] 다음 주어진 말을 이용하여 우리말을 영작하시오.

16 그녀는 매운 음식을 조금도 먹지 않는다. (spicy)

➡ _____

17 이 약은 쓴 맛이 난다. (medicine, bitter)

➡ _____

18 그 학생들은 많은 어려운 질문을 했다. (difficult)

➡ _____

[19-21] 다음 표를 보고 **some**과 **any**를 사용하여 글을 완성하시오.

	Susan	Amy	Kevin
eat	sandwiches, salad	spaghetti	pizza, hotdogs
didn't eat	cake	tomatoes	vegetables

19 Susan ate _____ sandwiches and _____ salad. She didn't eat _____ cake.

20 Amy ate _____ spaghetti. Did she eat _____ tomatoes? No, she didn't.

21 Did Kevin eat _____ pizza? Yes, he ate _____ hotdogs, too.

   He didn't eat _____ vegetables.

Chapter 06 부사

✔ 영작 Key Point

부사	slowly, very, well, luckily 등	동사 수식	He walked slowly.
		형용사 수식	It tastes very good.
		다른 부사 수식	She sings very well.
		문장 전체 수식	Luckily, he passed the test.
빈도부사	always, usually, often, sometimes, never 등	be동사 + 빈도부사	He is sometimes late for school.
		빈도부사 + 일반동사	They often visit us.
		조동사 + 빈도부사	I will always help you.

UNIT 11 부사의 역할과 형태

A 부사의 역할

부사는 동사, 형용사, 문장 내의 다른 부사, 또는 문장 전체를 꾸며주는 역할을 한다. 부사는 보통 꾸며주는 동사 뒤, 형용사나 다른 부사 앞에 위치하며, 문장 전체를 꾸며주는 경우에는 문장 맨 앞에 위치한다.

부사의 역할	위치	예문
동사 수식	동사 + 부사	He spoke slowly. 그는 천천히 말했다.
형용사 수식	부사 + 형용사	The tree is so big. 그 나무는 매우 크다.
다른 부사 수식	부사 + 다른 부사	She can swim very well. 그녀는 수영을 아주 잘할 수 있다.
문장 전체 수식	부사 + 문장 전체	Unfortunately, we lost the game. 불행하게도, 우리는 그 경기에서 졌다.

B 부사의 형태

부사는 보통 형용사에 -ly를 붙여 만드는데, 형용사에 따라 조금씩 다르다. 형용사는 '~한'으로 해석하고, 부사는 '~하게'라고 해석한다.

대부분의 형용사	형용사에 -ly를 붙인다.	beautiful 아름다운 → beautifully 아름답게, kind 친절한 → kindly 친절하게, safe 안전한 → safely 안전하게, strange 이상한 → strangely 이상하게, quick 빠른 → quickly 빨리, fortunate 다행스러운 → fortunately 다행스럽게
'자음 + -y'로 끝나는 형용사	y를 i로 바꾸고 -ly를 붙인다.	happy 행복한 → happily 행복하게, easy 쉬운 → easily 쉽게, heavy 무거운 → heavily 무겁게, lucky 운이 좋은 → luckily 운 좋게
형용사 = 부사인 형용사	–	fast 빠른 → fast 빨리, late 늦은 → late 늦게, hard 열심히 하는 → hard 열심히, early 이른 → early 일찍
불규칙하게 변하는 형용사	–	good 좋은 → well 잘

➜ Grammar Plus 명사에 -ly를 붙이면 형용사가 된다.
　　EX love 사랑 → lovely 사랑스러운, friend 친구 → friendly 우호적인, 상냥한

A 다음 문장에서 알맞은 것을 고르시오.

01 I slept   good | well   last night.

02 Did your mother get up   early | earliy   this morning?

03   Kindly | Kind , he helped us.

04   Luckily | Lucky , the firefighter saved the girl.

05 He acted really   strange | strangely   yesterday.

06 My father is a   carefully | careful   driver.

07 They came back home   lately | late   last night.

08 You looked so   different | differently   today.

09 We were   real | really   busy yesterday.

10 Her baby is very   love | lovely .

11 A dolphin can swim very   fast | fastly .

12 It snowed   heavy | heavily   last year.

B 다음 괄호 안의 형용사를 알맞은 형태로 고쳐 빈칸에 쓰시오.

01 The bear danced very _____ at the circus. (good)

02 _____, we won the final game. (fortunate)

03 The fox moved so _____. (quiet)

04 He looked at me _____. (angry)

05 They are shouting very _____. (loud)

06 _____, he didn't hurt his head. (lucky)

07 Why does your sister study _____? (hard)

08 The jet plane is flying so _____. (high)

09 She solved the difficult problem _____. (easy)

10 _____, he passed the test. (surprising)

> **Grammar Guide**
> • 부사는 보통 형용사에 -ly를 붙여 만든다.
> • '자음 + -y'로 끝나는 형용사는 y를 i로
>   바꾸고 -ly를 붙인다.
> • 어떤 부사는 형용사와 형태가 같고, 어떤
>   부사는 불규칙하게 변한다.
>   fast → fast, good → well

A 다음 보기와 같이 두 문장이 같은 의미가 되도록 빈칸에 알맞은 말을 쓰시오.

> **보기** It is a slow animal. → It moves _slowly_ .

01 The boy is a quick learner. → The boy learns _____.

02 My uncle is a careful driver. → My uncle drives _____.

03 You are a loud speaker. → You speak _____.

04 She is a good pianist. → She plays the piano _____.

05 We are bad singers. → We sing _____.

06 They are hard workers. → They work _____.

07 Sophia is a fast talker. → Sophia talks _____.

08 The king is a wise ruler. → The king rules _____.

B 다음 문장의 틀린 부분에 밑줄을 긋고 바르게 고쳐 쓰시오.

01 Mary speaks Chinese very good.   (→ _____)

02 The prince lived happy in his palace.   (→ _____)

03 He eats food too fastly.   (→ _____)

04 This cake tastes so greatly.   (→ _____)

05 Sudden, she cried and ran out.   (→ _____)

06 I got up lately last Saturday.   (→ _____)

07 The man looked very seriously.   (→ _____)

08 We should study math hardly.   (→ _____)

09 Mr. Brown is a very well teacher.   (→ _____)

10 Sad, my friend will move next month.   (→ _____)

11 Canada is a beautifully country.   (→ _____)

12 Can you jump highly?   (→ _____)

A 다음 주어진 우리말과 일치하도록 빈칸에 알맞은 말을 쓰시오.

01 태양이 매우 밝게 빛나고 있다.

→ The sun is shining very _____.

02 많은 사람들이 매우 크게 웃었다.

→ A lot of people laughed very _____.

03 눈이 많이 왔다. 자동차들이 천천히 움직였다.

→ It snowed _____. Cars moved _____.

04 기쁘게도, 그들은 집에 안전하게 도착했다.

→ _____, they arrived at home _____.

05 나는 일찍 일어났지만, 학교에 늦었다.

→ I got up _____, but I was _____ for school.

B 다음 괄호 안의 부사를 올바른 위치에 넣어 문장을 다시 쓰시오.

01 She drives a car very. (fast)

→ _____

02 It is Children's Day today. (happily)

→ _____

03 He explained it clearly. (very)

→ _____

04 This question is important. (really)

→ _____

05 Jane danced very at the party. (beautifully)

→ _____

Sentence Writing

A 다음 우리말과 일치하도록 주어진 단어를 올바르게 배열하시오.

01　나는 숙제를 매우 빨리 끝냈다. (my, quickly, homework, I, finished, very)

→ _____

02　불행하게도, 우리는 너무 늦게 일어났다. (late, got up, we, too, unfortunately)

→ _____

03　그는 어제 매우 일찍 집에 돌아왔다. (so, he, home, yesterday, early, came back)

→ _____

04　네 여동생은 정말 아팠니? (really, sister, your, was, sick, ?)

→ _____

B 다음 주어진 말을 이용하여 우리말을 영작하시오.

01　그들은 의자에 조용히 앉아 있다. (in the chairs)

→ _____

02　운 좋게도, 그는 그 극장을 쉽게 찾았다. (find, the theater)

→ _____

03　Sam은 그 문제를 간단하게 풀었다. (solve, simple)

→ _____

04　그의 이야기는 매우 흥미진진했다. (exciting)

→ _____

05　우리의 영어 수업은 오늘 늦게 끝났다. (end)

→ _____

A 다음 문장에서 알맞은 것을 고르시오.

01 My mother spends money so   wisely | wise .

02 Many people know her   very good | very well .

03 The train arrived too   late | lately .

04   Suddenly | Sudden , she opened her eyes.

05 His voice sounded   strange | strangely   today.

B 다음 주어진 우리말과 일치하도록 빈칸에 알맞은 말을 쓰시오.

01 어젯밤에 비가 많이 왔다.

→ It rained _____ last night.

02 나는 열심히 공부했지만, 그 시험은 너무 어려웠다.

→ I studied _____, but the test was _____ difficult.

03 다행스럽게도, 그는 빨리 달려서 일찍 도착했다.

→ _____, he ran _____ and arrived _____.

C 다음 주어진 말을 이용하여 우리말을 영작하시오.

01 나는 조심스럽게 그의 방에 들어갔다. (enter)

→ _____

02 그 가게는 아침 일찍 문을 열지 않는다. (open)

→ _____

03 그녀의 드레스는 정말로 비싸 보인다. (expensive)

→ _____

04 놀랍게도, Brown 씨는 한국어를 매우 잘한다. (Korean)

→ _____

UNIT 12 빈도부사

A 빈도부사의 종류

빈도부사란 어떤 일이 얼마나 자주 일어나는지를 나타내는 부사이다.

빈도 높음 ──────────────────────→ 빈도 낮음				
always 항상	usually 대개, 보통	often 종종, 자주	sometimes 때때로, 가끔	never 결코 ~않는

B 빈도부사의 위치

• 빈도부사는 be동사 뒤에 와서 「주어 + be동사 + 빈도부사」의 어순이다.

주어	be동사	빈도부사	해석
I	am	sometimes tired.	나는 때때로 피곤하다.
You	are	often helpful.	너는 종종 도움이 된다.
He	is	always busy.	그는 항상 바쁘다.
Her room	is	usually clean.	그녀의 방은 대개 깨끗하다.
We	are	never late for school.	우리는 결코 학교에 늦지 않는다.

• 빈도부사는 일반동사 앞에 와서 「주어 + 빈도부사 + 일반동사」의 어순이다.

주어	빈도부사	일반동사	해석
She	always	smiles.	그녀는 항상 미소 짓는다.
I	usually	get up at 7.	나는 보통 7시에 일어난다.
He	often	rides his bike.	그는 종종 자전거를 탄다.
They	sometimes	fight.	그들은 가끔 싸운다.
My sister	never	exercises.	내 여동생은 결코 운동하지 않는다.

➔ **Grammar Plus** 빈도부사는 부사이므로 주어가 3인칭 단수일 때 일반동사의 현재 단수형이 온다.
　　　　　　　　 She always smiles. (O)　She always smile. (X)

• 빈도부사는 조동사 뒤에 와서 「주어 + 조동사 + 빈도부사」의 어순이다.

주어	조동사	빈도부사	동사원형	해석
We	can	sometimes	help him.	우리는 가끔 그를 도울 수 있다.
She	will	always	be happy.	그녀는 항상 행복할 것이다.
He	can	often	visit us.	그는 종종 우리를 방문할 수 있다.
It	will	usually	sleep at night.	그것은 보통 밤에 잠을 잘 것이다.
I	will	never	cry.	나는 결코 울지 않을 것이다.

➔ **Grammar Plus** 의문문에서 빈도부사는 주어 뒤에 온다.
　　　　　　　　 Is she always polite?　Do you often exercise?　Can you often help me?

A 다음 문장에서 알맞은 것을 고르시오.

01 Your brother sometimes looks | looks sometimes angry.

02 They are usually | usually are at the library.

03 I can often go | can go often to the movies.

04 He always play | plays soccer after school.

05 Does she drink often | often drink coffee?

06 The sky is usually | usually is blue in fall.

07 We will never | never will forget you.

08 It makes often | often makes strange sounds.

09 My sister sometimes is | is sometimes lazy.

10 You never ask | ask never questions.

> **Grammar Guide**
> · 빈도부사 always, usually, often, sometimes, never는 be동사나 조동사 뒤에, 일반동사 앞에 온다.
> · 의문문에서 빈도부사는 주어 뒤에 온다.

B 다음 보기와 같이 주어진 빈도부사가 들어갈 알맞은 위치에 V표 하시오.

보기 ▶ She V plays the piano at night. (never)

01 I go to bed at 10 o'clock. (usually)

02 James is sleepy in the afternoon. (often)

03 He will say sorry to anyone. (never)

04 Your advice is helpful. (always)

05 He brushes his teeth after meals. (usually)

06 Are they late for school? (sometimes)

07 My father goes to work on Saturday. (sometimes)

08 She eats junk food. (never)

09 Do you visit your grandparents? (often)

10 You can trust me. (always)

Grammar Practice II

A 다음 문장에서 밑줄 친 부분을 바르게 고쳐 쓰시오.

01 The student <u>usually is</u> quiet.   (➡ _____)

02 He often <u>do</u> his homework after school.   (➡ _____)

03 We <u>sometimes can</u> go hiking.   (➡ _____)

04 She <u>tells lies never</u>.   (➡ _____)

05 Are <u>always your friends</u> on time?   (➡ _____)

06 I <u>will help often</u> my mother.   (➡ _____)

07 Can <u>you play sometimes</u> with him?   (➡ _____)

08 A pine tree <u>always is</u> green.   (➡ _____)

09 Does <u>usually your father</u> eat breakfast?   (➡ _____)

10 They <u>can finish never</u> their work.   (➡ _____)

B 다음 보기와 같이 주어진 단어와 **always**를 사용하여 지시대로 문장을 만드시오.

> 보기 ▶ I / be / happy   긍정문 __I am always happy.__

01 my brother / wear / jeans and a T-shirt

긍정문 ▶ _____

02 we / will / study hard

긍정문 ▶ _____

03 they / be / nice to me

긍정문 ▶ _____

04 George / be / honest

의문문 ▶ _____

05 you / take a shower / in the morning

의문문 ▶ _____

A 다음 우리말과 일치하도록 빈칸에 알맞은 말을 쓰시오.

01 그의 생각들은 때때로 매우 창의적이다.

→ His ideas _____ _____ very creative.

02 나는 결코 너를 다시 만나지 않을 것이다.

→ I _____ _____ _____ you again.

03 호랑이는 종종 밤에 사냥하니?

→ Does a tiger _____ _____ at night?

04 한국은 여름에 대개 덥니?

→ _____ it _____ hot in Korea in summer?

05 해는 항상 동쪽에서 떠서 서쪽으로 진다.

→ The sun _____ _____ in the east and _____ in the west.

B 다음 괄호 안의 빈도부사를 올바른 위치에 넣어 문장을 다시 쓰시오.

01 The train timetable is wrong. (often)

→ _____

02 Do you go to school by bus? (usually)

→ _____

03 My uncle welcomes us. (always)

→ _____

04 Everyone can make a mistake. (sometimes)

→ _____

05 The twins fight with each other. (never)

→ _____

Sentence Writing

A 다음 우리말과 일치하도록 주어진 단어를 올바르게 배열하시오.

01 그는 토요일에 종종 영화를 본다. (often, movies, on Saturday, watches, he)

➡ _____

02 그녀는 결코 다시 돌아오지 않을 것이다. (will, come back, she, again, never)

➡ _____

03 네 친구들은 항상 도서관에 있니? (always, your, friends, are, in the library, ?)

➡ _____

04 겨울에는 대개 춥고 눈이 온다. (usually, is, in winter, cold and snowy, it)

➡ _____

B 다음 주어진 말을 이용하여 우리말을 영작하시오.

01 나는 항상 너를 기억할 것이다. (remember)

➡ _____

02 한국인들은 대개 부지런하다. (Koreans, diligent)

➡ _____

03 우리는 가끔 놀이공원에 간다. (the amusement park)

➡ _____

04 그녀는 종종 네 책들을 빌리니? (borrow)

➡ _____

05 나의 어머니는 절대 화를 내지 않으신다. (get angry)

➡ _____

A 다음 문장에서 알맞은 것을 고르시오.

01 The train usually leaves | leaves usually on time.

02 The park often is | is often crowded.

03 I always will | will always keep your secret.

04 My mother never drink | drinks coffee at night.

05 Does it sometimes | sometimes it snow in winter?

B 다음 주어진 우리말과 일치하도록 빈칸에 알맞은 말을 쓰시오.

01 우리는 항상 최선을 다할 것이다.

→ We _____ _____ _____ our best.

02 나의 아버지는 대개 아침에 신문을 읽으신다.

→ My father _____ _____ the newspaper in the morning.

03 그녀는 가끔 학교에 결석하니?

→ _____ she _____ absent from school?

C 다음 주어진 말을 이용하여 우리말을 영작하시오.

01 그의 계획들은 항상 놀랍다. (surprising)

→ _____

02 David는 때때로 자전거를 타고 학교에 간다. (by bike)

→ _____

03 너희는 결코 그 시험에 실패하지 않을 것이다. (fail)

→ _____

04 그녀는 보통 밤에 음악을 듣니? (listen to music)

→ _____

Actual Test

[01–02] 다음 빈칸에 들어갈 수 <u>없는</u> 것을 고르시오.

01 My mother sings very _____.

① well   ② beautifully   ③ softly   ④ loud   ⑤ sweetly

02 He _____ gets up early on weekends.

① always   ② never   ③ sometime   ④ often   ⑤ usually

03 다음 빈칸에 들어갈 수 있는 것을 고르시오.

He is late for school. So he walks very _____.

① quick   ② quickly   ③ fastly   ④ really   ⑤ slow

04 다음 대화의 빈칸에 들어갈 알맞은 것을 고르시오.

Ⓐ Does she always eat breakfast?
Ⓑ Yes, she does. She _____ toast for breakfast.

① usually eat   ② often eats   ③ eats often   ④ never eat   ⑤ eats usually

05 다음 빈칸에 알맞은 말이 바르게 짝지어진 것을 고르시오.

· Her advice is always _____ helpful.
· An eagle can fly so _____.
· _____, he found some money on the street.

① very – highly – Luckily   ② good – high – Luckily   ③ very – high – Lucky
④ well – highly – Luckily   ⑤ very – high – Luckily

06 다음 중 밑줄 친 단어의 쓰임이 <u>다른</u> 하나를 고르시오.

① My sister can run very <u>fast</u>.   ② James sometimes speaks too <u>fast</u>.
③ His new car is really <u>fast</u>.   ④ Did she eat lunch <u>fast</u>?
⑤ He drove his car so <u>fast</u>.

07 다음 중 밑줄 친 빈도부사의 위치가 잘못된 것을 고르시오.

① She is <u>usually</u> nice to me. ② Does your sister <u>often</u> tell lies?

③ I will be <u>never</u> absent from school. ④ Is he <u>always</u> polite?

⑤ They <u>sometimes</u> play games after school.

08 다음 중 밑줄 친 부분이 올바른 것을 고르시오.

① Were they <u>so beautifully</u>? ② I touched the vase very <u>careful</u>.

③ The baby <u>often cry</u> at night. ④ We <u>will forget never</u> it.

⑤ Is your sister always <u>friendly</u>?

09 다음 중 올바른 문장이 <u>아닌</u> 것을 고르시오.

① Happily, he came back early today. ② Do you often ask questions?

③ She speaks English very well. ④ My mother is always busy.

⑤ I usually get up lately on Sunday.

[10-11] 다음 우리말을 영작했을 때 밑줄 친 부분 중 <u>틀린</u> 것을 고르시오.

10 다행스럽게도, 그 버스가 매우 일찍 도착해서 나는 학교에 늦지 않았다.

➡ <u>Fortunate</u>, the bus arrived <u>so</u> <u>early</u>, so I <u>wasn't</u> <u>late</u> for school.
    ①   ② ③   ④   ⑤

11 그는 항상 나를 화난 표정으로 본다. 나는 그를 다시 만나지 않을 것이다.

➡ He <u>always</u> <u>look</u> at me <u>angrily</u>. I <u>will never</u> <u>meet</u> him again.
      ①   ②   ③   ④   ⑤

12 다음 중 우리말을 올바르게 영작한 것을 고르시오.

① 나는 오늘 아침 일찍 일어났다. → I got up earlily this morning.

② 우리는 때때로 그를 만날 것이다. → We will sometimes meet him.

③ 알래스카는 항상 춥니? → Is always it cold in Alaska?

④ 그녀는 항상 라디오를 듣는다. → She always listen to radio.

⑤ 슬프게도, 그는 그 시험에 통과하지 못했다. → Sad, he didn't pass the test.

[13–14] 다음 문장의 틀린 부분을 바르게 고쳐 문장을 다시 쓰시오.

13   My brother solved the puzzle very easy.

→ _____

14   Does he go sometimes to the swimming pool?

→ _____

[15–17] 다음 주어진 말을 이용하여 우리말을 영작하시오.

15   그는 때때로 매우 크게 웃는다. (laugh)

→ _____

16   너의 어머니는 항상 심각하게 생각하시니? (think)

→ _____

17   Sarah는 결코 그를 용서하지 않을 것이다. (forgive)

→ _____

[18–22] 다음 표를 보고 Kate의 질문에 대한 Tom의 대답을 완성하시오.

	always	often	sometimes	never
Tom	eat breakfast	go shopping	watch TV	be late for school
Tom's parents	be busy	get up early	exercise	eat cheese

18   Kate   How often do you eat breakfast?   Tom   I _____ _____ breakfast.

19   Kate   How often are you late for school?   Tom   I _____ _____ late for school.

20   Kate   Are your parents busy?   Tom   Yes, they _____ _____ busy.

21   Kate   How often do your parents exercise?   Tom   They _____ _____.

22   Kate   Do your parents get up early?   Tom   Yes, they _____ _____ up early.

| 불규칙 동사표 |

동사원형	과거형	동사원형	과거형
become ~이 되다	became	know 알다	knew
begin 시작하다	began	lend 빌려주다	lent
break 깨다	broke	lose 잃어버리다	lost
bring 가져오다	brought	make 만들다	made
build (건물을) 짓다	built	meet 만나다	met
buy 사다	bought	put 놓다	put
come 오다	came	read[riːd] 읽다	read[red]
cut 자르다	cut	ride 타다	rode
do 하다	did	run 달리다	ran
draw 그리다	drew	see 보다	saw
drink 마시다	drank	send 보내다	sent
drive 운전하다	drove	sing 노래하다	sang
eat 먹다	ate	sit 앉다	sat
fall 떨어지다	fell	sleep 잠을 자다	slept
feel 느끼다	felt	speak 말하다	spoke
find 찾다	found	stand 서 있다	stood
fly 날다	flew	swim 수영하다	swam
forget 잊다	forgot	take 데리고 가다	took
get 얻다	got	teach 가르치다	taught
give 주다	gave	tell 말하다	told
go 가다	went	think 생각하다	thought
have 가지고 있다, 먹다	had	wake 깨다, 일어나다	woke
hear 듣다	heard	win 이기다	won
hurt 다치게 하다	hurt	write 쓰다	wrote

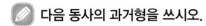 다음 동사의 과거형을 쓰시오.

동사원형	과거형	동사원형	과거형
become ~이 되다		know 알다	
begin 시작하다		lend 빌려주다	
break 깨다		lose 잃어버리다	
bring 가져오다		make 만들다	
build (건물을) 짓다		meet 만나다	
buy 사다		put 놓다	
come 오다		read[riːd] 읽다	
cut 자르다		ride 타다	
do 하다		run 달리다	
draw 그리다		see 보다	
drink 마시다		send 보내다	
drive 운전하다		sing 노래하다	
eat 먹다		sit 앉다	
fall 떨어지다		sleep 잠을 자다	
feel 느끼다		speak 말하다	
find 찾다		stand 서 있다	
fly 날다		swim 수영하다	
forget 잊다		take 데리고 가다	
get 얻다		teach 가르치다	
give 주다		tell 말하다	
go 가다		think 생각하다	
have 가지고 있다, 먹다		wake 깨다, 일어나다	
hear 듣다		win 이기다	
hurt 다치게 하다		write 쓰다	

문법탄탄 ○ 정답 및 해설

WRITING

문장의 기본편 ❷

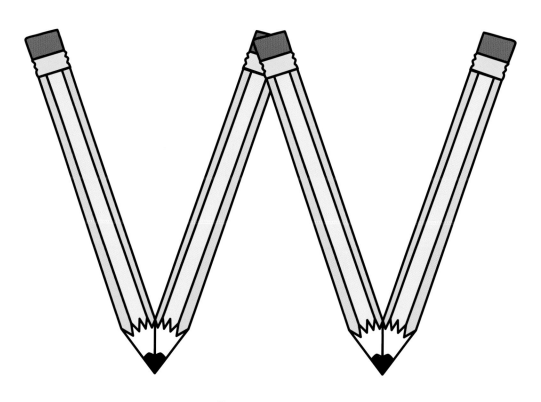

Happy House

문법탄탄

정답 및 해설

WRITING 2
문장의 기본편 ❷

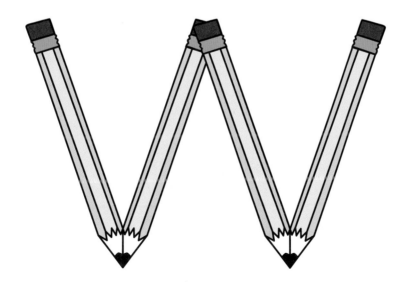

Happy House

be동사의 과거

Unit 01 be동사의 과거형

Grammar Practice I   p. 9

A	01	was	02	were	03	was	04	were
	05	was	06	was	07	were	08	were
	09	was	10	were	11	was, is	12	is

B	01	were	02	was	03	were	04	was
	05	were	06	was	07	was	08	were
	09	was, am	10	is, was				

A 01 그녀는 지난 주말에 바빴다.
　02 너는 초등학생이었다.
　03 나는 어젯밤에 친구와 함께 있었다.
　04 그들은 2년 전에 캐나다에 있었다.
　05 어제는 춥고 바람이 불었다.
　06 그는 똑똑한 학생이었다.
　07 우리는 도서관에 있었다.
　08 그와 나는 작년에 6학년이었다.
　09 영어는 내가 가장 좋아하는 과목이었다.
　10 그녀의 신발은 너무 더러웠다.
　11 Tim은 어제 불행했다. 하지만 그는 오늘 행복하다.
　12 도쿄는 일본의 수도이다.

01 · 03 · 05 · 06 · 09 주어가 3인칭 단수이거나 I일 때 be동사의 과거형은 was를 쓴다. 02 · 04 · 07 · 08 · 10 주어가 2인칭 단수(You)이거나 복수일 때 be동사의 과거형은 were를 쓴다. 11 yesterday는 과거 시제와 함께 쓰는데 주어가 3인칭 단수(Tim)이므로 be동사의 과거형 was를 쓰고, today는 현재 시제와 함께 쓰므로 be동사의 현재형 is를 쓴다. 12 현재의 사실을 나타내므로 현재형을 써야 하는데, 주어가 3인칭 단수(Tokyo)이므로 be동사의 현재형 is를 쓴다.

B 01 너는 어제 학교에 늦었다.
　02 그녀는 작년에 이탈리아에 있었다.
　03 그들은 지난 여름에 해변에 있었다.
　04 그는 5년 전에 영어 선생님이었다.
　05 우리는 어젯밤에 피곤하고 졸렸다.
　06 네 남동생은 어제 우리 집에 있었다.
　07 David는 지난 월요일에 결석했다.
　08 내 장갑은 5분 전에 탁자 위에 있었다.
　09 나는 두 달 전에 런던에 있었다. 지금 나는 파리에 있다.
　10 오늘은 비가 온다. 하지만 어제는 덥고 화창했다.

01 · 03 · 05 · 08 주어가 you이거나 복수일 때 be동사의 과거형은 were를 쓴다. 02 · 04 · 06 · 07 주어가 3인칭 단수일 때 be동사의 과거형은 was를 쓴다. 09 ago는 과거 시제와 함께 쓰는데 주어가 I이므로 be동사의 과거형 was를 쓰고, Now는 현재 시제와 함께 쓰므로 be동사의 현재형 am을 쓴다. 10 today는 현재 시제와 함께 쓰는데 주어가 3인칭 단수(It)이므로 be동사의 현재형 is를 쓰고, yesterday는 과거 시제와 함께 쓰므로 be동사의 과거형 was를 쓴다.

Grammar Practice II   p. 10

A	01	was	02	was	03	were	04	was
	05	were	06	was	07	were	08	am
	09	is	10	was, is				

B 01 We were at the bus stop.　02 It was very interesting.
　03 They were my roommates.　04 He was a famous artist.

05 I was on the second floor.
06 Her grandparents were healthy.

A 01 그는 어제 매우 슬펐다.
　02 Mary는 일 년 전에 나의 가장 친한 친구였다.
　03 우리는 작년에 같은 반이었다.
　04 네 여동생은 한 시간 전에 정원에 있었다.
　05 그와 그녀는 어제 결석했다.
　06 그것은 조금 전에 내 주머니에 있었다.
　07 그들은 5년 전에 유명한 가수들이었다.
　08 나는 지금 매우 피곤하다.
　09 파리는 프랑스에 있다.
　10 어제는 추웠지만, 지금은 따뜻하다.

01 · 02 · 04 · 06 주어가 3인칭 단수인 과거 시제 문장으로 be동사의 과거형 was를 써야 한다. 03 · 05 · 07 주어가 복수인 과거 시제 문장으로 be동사의 과거형 were를 써야 한다. 08 now는 현재 시제와 함께 쓰는데 주어가 I이므로 be동사의 현재형 am을 써야 한다. 09 현재의 사실을 나타내므로 현재형을 써야 하는데, 주어가 3인칭 단수(Paris)이므로 be동사의 현재형 is를 쓴다. 10 Yesterday는 과거 시제와 함께 쓰는데 주어가 3인칭 단수(it)이므로 be동사의 과거형 was를 쓰고, now는 현재 시제와 함께 쓰므로 be동사의 현재형 is를 쓴다.

B 01 우리는 버스 정류장에 있다. → 우리는 버스 정류장에 있었다.
　02 그것은 매우 재미있다. → 그것은 매우 재미있었다.
　03 그들은 나의 룸메이트들이다. → 그들은 나의 룸메이트들이었다.
　04 그는 유명한 화가이다. → 그는 유명한 화가였다.
　05 나는 2층에 있다. → 나는 2층에 있었다.
　06 그녀의 조부모님은 건강하시다. → 그녀의 조부모님은 건강하셨다.

주어진 문장을 과거 시제로 바꾸려면 be동사를 과거형으로 바꾸어야 한다. 01 · 03 · 06 are의 과거형은 were이고 02 · 04 · 05 am, is의 과거형은 was이다.

Prep Writing   p. 11

A	01	We, were	02	was	03	I, was
	04	was, is	05	were, They, are		

B 01 She was my English teacher.
　02 You were 13 years old last year.
　03 He was a singer 10 years ago.
　04 It was May 5 yesterday.
　05 My parents were in China last month.
　06 He and I were free yesterday.
　07 The cats were on the roof.
　08 Mr. Brown was busy last week.

A 01 last는 과거 시제와 함께 쓰므로 주어 We 뒤에 were를 쓴다. 02 · 03 주어가 3인칭 단수인 과거 시제 문장으로 주어 뒤에 was를 쓴다. 04 yesterday는 과거 시제와 함께 쓰므로 주어 It이므로 was를 쓰고, today는 현재 시제와 함께 쓰므로 is를 쓴다. 05 last는 과거 시제와 함께 쓰는데 주어가 복수이므로 were를 쓴다. The twins는 대명사 They가 대신하고, now는 현재 시제와 함께 쓰므로 are를 쓴다.

B 보기 그는 작년에 말랐었다.
　01 그녀는 나의 영어 선생님이었다.
　02 너는 작년에 13살이었다.
　03 그는 10년 전에 가수였다.
　04 어제는 5월 5일이었다.
　05 나의 부모님은 지난달에 중국에 계셨다.
　06 그와 나는 어제 한가했다.
　07 그 고양이들은 지붕 위에 있었다.
　08 Brown 씨는 지난주에 바빴다.

01 · 03 · 04 · 08 주어가 3인칭 단수일 때 be동사의 과거형은 was를 쓴다.
02 · 05 · 06 · 07 주어가 you이거나 복수일 때 be동사의 과거형은 were를 쓴다.

Sentence Writing
p. 12

A 01 My parents were angry last night.
　02 James was a famous actor 10 years ago.
　03 It was my birthday last Thursday.
　04 Your socks were in the basket yesterday.

B 01 We were in the swimming pool yesterday.
　02 Mr. Anderson was an honest police officer.
　03 It was windy and rainy last weekend.
　04 Her cousin was in the fifth grade last year.
　05 They were poor and unhappy.

A 01 '나의 부모님은'이 주어이므로 My parents로 문장을 시작하고, 뒤에
　 be동사의 과거형 were가 온다. 시간을 나타내는 표현은 문장 맨 뒤에 온다.
　 02 'James는'이 주어이므로 James로 문장을 시작하고, 뒤에 be동사의 과거형
　 was가 온다. 03 비인칭 주어 It으로 문장을 시작하고, 뒤에 be동사의 과거형
　 was가 온다. 04 '네 양말들은'이 주어이므로 Your socks로 문장을 시작하고,
　 뒤에 be동사의 과거형 were가 온다.

B 01 · 05 주어가 복수(We/They)일 때 be동사의 과거형은 were를 쓴다. 02 ·
　 03 · 04 주어가 3인칭 단수(Mr. Anderson/It/Her cousin)일 때 be동사의
　 과거형은 was를 쓴다.

Self-Study
p. 13

A 01 were　　02 was　　03 was, am
　04 were　　05 was, is

B 01 was, were　02 was, is　03 were, are

C 01 Helen was a university student 2 years ago.
　02 It was very warm last winter.
　03 They were late for the meeting yesterday.
　04 The post office was next to the bank.

A 01 그들은 지난 주말에 콘서트에 있었다.
　02 어제 그 영화는 지루했다.
　03 나는 작년에 뚱뚱했지만, 지금은 날씬하다.
　04 그 강아지들은 한 시간 전에 마당에 있었다.
　05 어제는 금요일이었다. 오늘은 토요일이다.

　01 last는 과거 시제와 함께 쓰는데 주어가 복수이므로 were를 쓴다.
　02 yesterday는 과거 시제와 함께 쓰는데 주어가 3인칭 단수이므로 was를
　쓴다. 03 last는 과거 시제와 함께 쓰는데 주어가 이므로 was를 쓰고, now는
　현재 시제와 함께 쓰므로 am을 쓴다. 04 ago는 과거 시제와 함께 쓰는데
　주어가 복수이므로 were를 쓴다. 05 Yesterday는 과거 시제와 함께 쓰는데
　주어가 3인칭 단수이므로 was를 쓰고, today는 현재 시제와 함께 쓰므로 is를
　쓴다.

B 01 last는 과거 시제와 함께 쓰는데 주어가 3인칭 단수일 때는 was를 쓰고,
　 주어가 복수일 때는 were를 쓴다. 02 yesterday는 과거 시제와 함께 쓰는데
　 주어가 3인칭 단수이므로 was를 쓰고, now는 현재 시제와 함께 쓰므로 is를
　 쓴다. 03 ago는 과거 시제와 함께 쓰는데 주어가 복수이므로 were를 쓰고,
　 Now는 현재 시제와 함께 쓰므로 are를 쓴다.

C 01 · 02 · 04 주어가 3인칭 단수(Helen/It/The post office)일 때 be동사의
　 과거형은 was를 쓴다. 03 주어가 복수(They)일 때 be동사의 과거형은 were를
　 쓴다.

Unit 02　be동사의 과거 부정문과 의문문

Grammar Practice I
p. 15

A 01 was not　　02 were not　　03 Were you
　04 Was I　　　05 Was　　　　06 weren't
　07 Was　　　　08 was not　　 09 Were
　10 was　　　　11 I, was　　　12 it, wasn't

B 01 I was　　　02 he was　　　03 they weren't
　04 it wasn't　05 you weren't　06 they were
　07 she was　 08 they were　　09 he wasn't
　10 it wasn't

A 01 그녀는 2년 전에 간호사가 아니었다.
　02 우리는 어제 배가 고프지 않았다.
　03 너는 작년에 중국에 있었니?
　04 제가 어제 학교에 지각했었나요?
　05 어젯밤에 눈이 왔었니?
　06 그들은 나의 반 친구들이 아니었다.
　07 너의 어머니는 집에 계셨니?
　08 그 영화는 재미없었다.
　09 그와 그녀는 작년에 같은 반이었니?
　10 너의 질문은 어렵지 않았다.
　11 너는 도서관에 있었니? 응, 그랬어.
　12 그녀의 여행 가방은 무거웠니? 아니, 그렇지 않았어.

　be동사의 과거 부정문은 be동사의 과거형 뒤에 not이 오는데 01 · 08 · 10
　주어가 3인칭 단수이면 was 뒤에 not이 오고 02 · 06 주어가 복수이면 were
　뒤에 not이 온다. were not은 줄여서 weren't로 쓸 수 있다.
　be동사의 과거 의문문은 be동사의 과거형이 주어 앞에 오는데 04 · 05 · 07
　주어가 이거나 3인칭 단수이면 Was가 오고 03 · 09 주어가 you이거나
　복수이면 Were가 온다. 11 · 12 be동사의 과거 의문문은 be동사의
　과거형으로 대답하는데, 2인칭 단수인 you로 물으면 I로, 단수명사 주어로
　물으면 it으로 대답한다.

B 01 당신은 5년 전에 조종사였나요? 네, 그랬습니다.
　02 그는 3학년이었니? 응, 그랬어.
　03 그들은 유명한 가수들이었니? 아니, 그렇지 않았어.
　04 어제는 어린이날이었니? 아니, 그렇지 않았어.
　05 지난밤에 내가 무례했니? 아니, 그렇지 않았어.
　06 그 꽃들은 꽃병에 있었니? 응, 그랬어.
　07 네 여동생은 작년에 키가 작았니? 응, 그랬어.
　08 그녀의 신발은 비쌌니? 응, 그랬어.
　09 Anderson 씨는 지난달에 한국에 있었니? 아니, 그렇지 않았어.
　10 그의 생일파티는 재미있었니? 아니, 그렇지 않았어.

　be동사의 과거 의문문은 Yes/No로 대답하는데, Yes 뒤에는 「주어 + be동사의
　과거형」이 오고, No 뒤에는 「주어 + be동사의 과거형 + not」이 온다. be동사의
　과거형은 01 · 02 · 04 · 07 · 09 · 10 주어가 이거나 3인칭 단수일 때 was를
　쓰고 03 · 05 · 06 · 08 주어가 you이거나 복수일 때 were를 쓴다.

Grammar Practice II
p. 16

A 01 was not (= wasn't)　　　02 were not (= weren't)
　03 Was　　　　　　　　　04 Were
　05 were not (= weren't)　 06 was not (= wasn't)
　07 Were　　　　　　　　 08 were
　09 Was　　　　　　　　　10 Was, wasn't

B 01 They were not (= weren't) at the party last night.
　02 I was not (= wasn't) angry an hour ago.
　03 The weather was not (= wasn't) hot and humid.
　04 Were you busy yesterday?

05 Were the children good soccer players?
06 Was Jason in England 5 years ago?

A 01 나는 13살이 아니었다.
02 우리는 한 시간 전에 1층에 없었다.
03 어제 네 남동생은 집에 있었니?
04 너는 작년에 바빴니?
05 우리는 지난 주말에 아프지 않았다.
06 James는 지난 금요일에 학교에 없었다.
07 그들은 지난달에 서울에 있었니?
08 내 여동생과 나는 어제 동물원에 없었다.
09 그는 지난 화요일에 결석했니?
10 Baker 씨는 5년 전에 선생님이었니? 아니, 그렇지 않았어.

01 be동사의 과거 부정문은 was 뒤에 not이 온다. 02 · 05 · 06 · 08 ago, last, yesterday가 있는 be동사의 과거 부정문으로 주어가 복수일 때는 were 뒤에 not이 오고, 주어가 3인칭 단수일 때는 was 뒤에 not이 온다. were not과 was not은 weren't, wasn't로 줄여서 쓸 수 있다. 03 · 04 · 07 · 09 yesterday, last가 있는 be동사의 과거 의문문으로 주어가 3인칭 단수일 때는 Was가 주어 앞에 오고, 주어가 you이거나 복수일 때는 Were가 주어 앞에 온다. 10 주어가 3인칭 단수인 be동사의 과거 의문문으로 Was가 주어 앞에 오고, No 뒤에는 「주어 + be동사의 과거형 + not」이 온다.

B 01 그들은 지난밤에 파티에 있었다. → 그들은 지난밤에 파티에 없었다.
02 나는 한 시간 전에 화가 나 있었다.
  → 나는 한 시간 전에 화가 나 있지 않았다.
03 날씨가 덥고 습했다. → 날씨가 덥고 습하지 않았다.
04 너는 어제 바빴다. → 너는 어제 바빴니?
05 그 아이들은 훌륭한 축구 선수들이었다.
  → 그 아이들은 훌륭한 축구 선수들이었니?
06 Jason은 5년 전에 영국에 있었다.
  → Jason은 5년 전에 영국에 있었니?

01 · 02 · 03 be동사의 과거 부정문은 be동사의 과거형 was, were 뒤에 not을 쓴다. was not과 were not은 wasn't, weren't로 줄여서 쓸 수 있다. 04 · 05 · 06 be동사의 과거 의문문은 was, were와 주어의 위치를 바꾸고, 맨 뒤에 물음표를 붙인다.

Prep Writing   p. 17

A 01 I, was, not   02 Were, you   03 We, were, not
04 Was, it   05 She, was, not

B 01 They were not (= weren't) 13 years old last year.
02 She was not (= wasn't) tired last weekend.
03 Were you at the shopping mall yesterday?
04 Were his cats small 2 years ago?
05 Was your sister sick last night?

A 01 · 03 · 05 ago, last가 있는 be동사의 과거 부정문으로 주어가 I이거나 3인칭 단수이면 was 뒤에 not을 쓰고, 주어가 복수이면 were 뒤에 not을 쓴다. 02 과거의 상태를 나타내는 be동사의 과거 의문문으로 주어 you 앞에 Were를 쓴다. 04 yesterday가 있는 be동사의 과거 의문문으로 주어 it 앞에 Was를 쓴다.

B 보기 어제는 화창하지 않았다.
01 그들은 작년에 13살이 아니었다.
02 그녀는 지난 주말에 피곤하지 않았다.
03 너는 어제 쇼핑몰에 있었니?
04 그의 고양이들은 2년 전에 작았니?
05 네 여동생은 지난밤에 아팠니?

01 · 02 be동사의 과거 부정문은 주어가 복수일 때는 주어 뒤에 were not (= weren't)을 쓰고, 주어가 3인칭 단수일 때는 주어 뒤에 was not (= wasn't)을 쓴다. 03 · 04 · 05 be동사의 과거 의문문은 주어가 you일 때는 Were를, 주어가 3인칭 단수일 때는 Was를 주어 앞에 쓰고, 맨 뒤에 물음표를 붙인다.

Sentence Writing   p. 18

A 01 We were not in Canada last summer.
02 It was not snowy in Seoul yesterday.
03 Was his father a doctor 10 years ago?
04 Were you cold last night? Yes, we were.

B 01 He was not (= wasn't) a happy prince.
02 Was your wallet in the car yesterday?
03 I was not (= wasn't) on the first floor an hour ago.
04 The English exams were not (= weren't) difficult.
05 Were they in the same class last year? Yes, they were.

A 01 · 02 be동사의 과거 부정문으로 주어가 복수일 때는 「주어 + were + not」 순으로 쓰고, 주어가 3인칭 단수일 때는 「주어 + was + not」 순으로 쓴다. 03 · 04 be동사의 과거 의문문으로 주어가 3인칭 단수일 때는 「Was + 주어 ~?」 순으로 쓰고, 주어가 you일 때는 「Were + 주어 ~?」 순으로 쓴다.

B 01 · 03 · 04 be동사의 과거 부정문은 주어가 I이거나 3인칭 단수일 때 「주어 + was + not」 순으로 쓰고, 주어가 복수일 때 「주어 + were + not」 순으로 쓴다. 02 · 05 be동사의 과거 의문문은 주어가 3인칭 단수일 때 「Was + 주어 ~?」 순으로 쓰고, 주어가 복수일 때 「Were + 주어 ~?」 순으로 쓴다.

Self-Study   p. 19

A 01 were not   02 Was   03 wasn't
04 Were   05 Was, it, was

B 01 was, not   02 Were, they
03 Was, he, wasn't

C 01 He was not (= wasn't) an engineer last year.
02 Were you at the beach yesterday? Yes, I was.
03 She was not (= wasn't) absent last Monday.
04 Were your glasses expensive? No, they weren't.

A 01 우리는 10년 전에 부유하지 않았다.
02 Penny는 유치원에서 너의 가장 친한 친구였니?
03 그녀는 조금 전에 부엌에 없었다.
04 그 컴퓨터 게임들은 재미있었니?
05 작년에 네 머리는 길었니? 응, 그랬어.

01 · 03 be동사의 과거 부정문은 주어가 복수이면 were 뒤에, 주어가 3인칭 단수이면 was 뒤에 not이 온다. was not은 줄여서 wasn't로 쓸 수 있다. 02 · 04 be동사의 과거 의문문은 주어가 3인칭 단수이면 Was가, 주어가 복수이면 Were가 주어 앞에 온다. 05 주어가 3인칭 단수인 be동사의 과거 의문문으로 Was가 주어 앞에 온다. your hair는 대명사 it이 대신하고, be동사는 was가 온다.

B 01 주어가 It인 be동사의 과거 부정문으로 was 뒤에 not을 쓴다. 02 주어가 they인 be동사의 과거 의문문으로 Were를 주어 앞에 쓴다. 03 주어가 3인칭 단수(your brother)인 be동사의 과거 의문문으로 Was를 주어 앞에 쓴다. your brother는 대명사 he가 대신하고, No 뒤에는 「주어 + be동사의 과거형 + not」이 온다.

C 01 · 03 be동사의 과거 부정문은 주어가 3인칭 단수일 때 「주어 + was + not」 순으로 쓴다. 02 · 04 be동사의 과거 의문문은 주어가 you이거나 복수일 때 「Were + 주어 ~?」 순으로 쓴다.

01 ④　02 ③　03 ⑤　04 ①　05 ①　06 ⑤　07 ②　08 ③
09 ②　10 ⑤　11 ④　12 ③　13 ①　14 ②
15 was, were, was, was, are, is, am
16 The sofa was very comfortable.
17 She was not (= wasn't) a secretary 3 years ago.
18 Were your grandparents rich? Yes, they were.
19 was, was　20 was, was, not
21 Were, they, were, Was, wasn't

01 우리는 작년에 초등학생들이었다.

last는 과거 시제와 함께 쓰는데 주어가 복수이므로 be동사의 과거형 were가 온다.

02 너의 아버지는 조금 전에 차 안에 계셨니?

주어가 3인칭 단수(your father)인 be동사의 과거 의문문으로 be동사의 과거형 Was가 주어 앞에 온다.

03 나는/James는/내 여동생은/그녀는 지난 금요일에 학교에 늦지 않았다.

wasn't가 있으므로 주어 자리에 복수 주어인 He and I는 올 수 없다.

04 너는/그 학생들은/그들은/우리는 두 달 전에 파리에 있었니?

Were가 문장 맨 앞에 올 때 주어 자리에 단수명사인 your brother는 올 수 없다.

05 내 사촌들은 지난주에 아팠지만, 그들은 지금 건강하다.

last는 과거 시제와 함께 쓰는데 주어가 복수이므로 be동사의 과거형 were가 오고, now는 현재 시제와 함께 쓰는데 주어가 복수이므로 be동사의 현재형 are가 온다.

06 어제는 눈이 오지 않았다. 오늘은 눈이 온다.

Yesterday는 과거 시제와 함께 쓰는데 주어가 3인칭 단수이므로 be동사의 과거형 was가 오거나 부정문으로 was not (= wasn't)이 올 수 있다. Today는 현재 시제와 함께 쓰는데 주어가 3인칭 단수이므로 is가 오거나 부정문으로 is not (= isn't)이 올 수 있다.

07 A: 너는 작년에 열 살이었니?　B: 네, 그랬습니다.

be동사의 과거 의문문으로 Yes 뒤에는 「주어 + be동사의 과거형」이 오는데, you로 묻고 있으므로 I was나 we were가 올 수 있다.

08 A: 그녀의 부모님은 영국에 계셨니?
　 B: 아니, 그렇지 않았어. 그들은 이탈리아에 계셨어.

be동사의 과거 의문문으로 her parents로 묻고 있으므로 they로 대답하고, 밑줄 뒤의 문장으로 보아 부정의 대답이 와야 한다.

09 ① 그는 어젯밤에 졸리지 않았다.
　 ② 그녀는 지금 한국에 없다.
　 ③ 어제가 네 생일이었니?
　 ④ 우리는 작년에 가수가 아니었다.
　 ⑤ 그들은 한 시간 전에 버스 정류장에 있었니?

② wasn't → isn't

10 ① 나는 지난 월요일에 결석했다.
　 ② 어제 그녀의 방은 지저분하지 않았다.
　 ③ 그들은 작년에 모범생들이었니?
　 ④ 내 장갑은 서랍에 없었다.
　 ⑤ 네 남동생은 지난밤에 아팠니?

⑤ Were → Was

11 ① 그 영화는 무서웠다. → 그 영화는 무서웠니?
　 ② 너는 작년에 게을렀다. → 너는 작년에 게으르지 않았다.
　 ③ 그 책들은 탁자 위에 있었다. → 그 책들은 탁자 위에 있었니?
　 ④ 어제는 화창한 날이었다. → 어제는 화창한 날이었니?
　 ⑤ 그는 2년 전에 가난했다. → 그는 2년 전에 가난하지 않았다.

① Is → Was　② not were → were not　③ Was → Were　⑤ were not → was not

12 ③ wasn't → were not (= weren't)
주어가 복수(We)인 be동사의 과거 부정문으로 were not (= weren't)이 와야 한다.

13 ① Were → Was
주어가 3인칭 단수(the class)인 be동사의 과거 의문문으로 Was가 주어 앞에 와야 한다.

14 ② weren't → wasn't
주어가 3인칭 단수(He)인 be동사의 과거 부정문으로 wasn't가 와야 한다.

15 어제 나는 집에 있었지만, 나의 부모님은 집에 계시지 않았다. 나는 배가 매우 고팠다. 하지만 냉장고는 비어있었다. 그러나 우리는 지금 이탈리아 식당에 있다. 여기 음식은 맛있다. 나는 배가 부르고 행복하다.

Yesterday는 과거 시제와 함께 쓰므로 주어가 I 또는 the refrigerator일 때 be동사의 과거형 was를 쓴다. 주어가 my parents일 때 be동사의 과거 부정문은 were 뒤에 not을 쓴다. now는 현재 시제와 함께 쓰므로 주어가 we일 때 be동사의 현재형 are를 쓰고, 주어가 The food일 때 is를 쓰고, 주어가 I일 때 am을 쓴다.

16 과거의 상태를 나타내는 과거 시제 문장으로, 주어가 3인칭 단수이므로 be동사의 과거형 was를 쓴다.

17 주어가 3인칭 단수인 be동사의 과거 부정문으로 「주어 + was + not」 순으로 쓴다.

18 주어가 복수인 be동사의 과거 의문문으로 「Were + 주어 ~?」 순으로 쓴다.

19 나는 지난 토요일에 생일파티에 있었다. 그 파티는 재미있었다.

last는 과거 시제와 함께 쓰는데 주어가 I 또는 3인칭 단수일 때 be동사의 과거형 was를 쓴다.

20 Sarah는 지난 주말에 동물원에 있었다. 그녀는 공원에 없었다.

last는 과거 시제와 함께 쓰는데 주어가 3인칭 단수일 때 be동사의 과거형 was를 쓰고, 부정문은 was 뒤에 not을 쓴다.

21 Billy와 Tom은 어제 영화관에 있었니? 응, 그랬어.
그 영화는 재미있었니? 아니, 그렇지 않았어.

주어가 복수(Billy and Tom)일 때 be동사의 과거 의문문은 Were를 주어 앞에 쓰고, 주어가 3인칭 단수일 때 Was를 주어 앞에 쓴다. 대답은 Yes 뒤에 「주어 + be동사의 과거형」을, No 뒤에 「주어 + be동사의 과거형 + not」을 쓴다.

Unit 03 일반동사의 과거형

Grammar Practice I
p. 25

A	01 played	02 sang	03 went	04 rode
	05 watched	06 bought	07 died	08 read
	09 cried	10 stopped		

B	01 studied	02 did	03 stayed	04 flew
	05 met	06 opened	07 danced	08 dropped
	09 slept	10 liked	11 got	12 lost

A 01 나는 어제 컴퓨터 게임을 했다.
02 그녀는 지난밤에 노래를 불렀다.
03 우리는 9시에 잠자리에 들었다.
04 그는 지난 주말에 자전거를 탔다.
05 너는 지난 금요일에 영화를 보았다.
06 그들은 약간의 우유와 꿀을 샀다.
07 그의 할머니는 5년 전에 돌아가셨다.
08 David는 지난밤에 만화책을 읽었다.
09 네 여동생은 조금 전에 울었다.
10 그 차는 모퉁이에서 멈추었다.

01 · 05 · 07 · 09 · 10 대부분의 일반동사는 동사원형에 -ed를 붙여 과거형을 만드는데, -e로 끝나는 동사 die는 -d만 붙이고, '자음 + -y'로 끝나는 동사 cry는 y를 i로 바꾸고 -ed를 붙이고, '단모음 + 단자음'으로 끝나는 동사 stop은 끝 자음을 한 번 더 쓰고 -ed를 붙인다. 02 · 03 · 04 · 06 · 08 불규칙 동사는 일정한 규칙이 없이 변한다. sing → sang, go → went, ride → rode, buy → bought, read → read

B 01 그는 지난밤에 영어를 공부했다.
02 우리는 2시간 전에 숙제를 했다.
03 그들은 지난달에 런던에 있었다.
04 그의 연은 하늘 높이 날았다.
05 나는 영화관에서 그의 여동생을 만났다.
06 그 가게는 지난 일요일 오전 11시에 문을 열었다.
07 너의 아버지는 어제 파티에서 춤을 추셨다.
08 Mary는 바닥에 그녀의 안경을 떨어뜨렸다.
09 그것은 6시간 동안 잠을 잤다.
10 많은 사람들이 그녀의 목소리를 좋아했다.
11 그녀는 오늘 아침에 늦게 일어났다.
12 Anderson 씨는 지난 금요일에 시계를 잃어버렸다.

01 · 03 · 06 · 07 · 08 · 10 대부분의 일반동사는 동사원형에 -ed를 붙여 과거형을 만드는데, '자음 + -y'로 끝나는 동사 study는 y를 i로 바꾸고 -ed를 붙이고, -e로 끝나는 동사 dance, like는 -d만 붙이고, '단모음 + 단자음'으로 끝나는 동사 drop은 끝 자음을 한 번 더 쓰고 -ed를 붙인다. 02 · 04 · 05 · 09 · 11 · 12 불규칙 동사는 일정한 규칙이 없이 변한다. do → did, fly → flew, meet → met, sleep → slept, get → got, lose → lost

Grammar Practice II
p. 26

A	01 had	02 snowed	03 lived	04 said
	05 wrote	06 drank	07 played	08 cried
	09 swam	10 jumped		

B 01 The students tried their best.
02 We went to Jeju Island by plane.
03 He taught science at school.
04 The child asked many questions.

05 James and his brother planned for the future.
06 I made a snowman with my friends.

A 01 나는 지난 주말에 좋은 시간을 보냈다.
02 이틀 전에 눈이 많이 왔다.
03 우리는 작년에 시골에 살았다.
04 그는 5분 전에 우리에게 작별인사를 했다.
05 그 작가는 2007년에 세 권의 소설을 썼다.
06 그녀는 어젯밤에 우유 세 잔을 마셨다.
07 그들은 지난 월요일에 야구를 했다.
08 그 아기는 지난밤에 크게 울었다.
09 Sam은 지난 여름에 그 호수를 헤엄쳐 건넜다.
10 그 캥거루들은 어제 매우 높이 뛰었다.

last, ago, yesterday 등이 있는 과거 시제 문장으로 일반동사의 과거형을 써야 한다. 02 · 03 · 07 · 08 · 10 대부분의 일반동사는 동사원형에 -ed를 붙여 과거형을 만드는데, -e로 끝나는 동사 live는 -d만 붙이고, '자음 + -y'로 끝나는 동사 cry는 y를 i로 바꾸고 -ed를 붙인다. 01 · 04 · 05 · 06 · 09 불규칙 동사는 일정한 규칙이 없이 변한다. have → had, say → said, write → wrote, drink → drank, swim → swam

B 01 그 학생들은 최선을 다한다. → 그 학생들은 최선을 다했다.
02 우리는 비행기로 제주도에 간다. → 우리는 비행기로 제주도에 갔다.
03 그는 학교에서 과학을 가르친다. → 그는 학교에서 과학을 가르쳤다.
04 그 아이는 많은 질문을 한다. → 그 아이는 많은 질문을 했다.
05 James와 그의 남동생은 미래를 위한 계획을 짠다.
→ James와 그의 남동생은 미래를 위한 계획을 짰다.
06 나는 친구들과 눈사람을 만든다. → 나는 친구들과 눈사람을 만들었다.

주어진 문장을 과거 시제로 바꾸려면 일반동사를 과거형으로 바꾸어야 한다. 01 · 04 · 05 대부분의 일반동사는 동사원형에 -ed를 붙여 과거형을 만드는데, '자음 + -y'로 끝나는 try는 y를 i로 바꾸고 -ed를 붙이고, '단모음 + 단자음'으로 끝나는 동사 plan은 끝 자음을 한 번 더 쓰고 -ed를 붙인다. 02 · 03 · 06 불규칙 동사는 일정한 규칙이 없이 변한다. go → went, teach → taught, make → made

Prep Writing
p. 27

A	01 read		02 took	03 knitted
	04 got (= woke), cleaned	05 studied, failed		

B 01 She drew a picture an hour ago.
02 They traveled to Europe last vacation.
03 They went to the concert last night.
04 He sang a song and danced.

A 01 · 02 last는 과거 시제와 함께 쓰므로 주어 뒤에 일반동사의 과거형을 쓴다. read, take는 불규칙 동사로 과거형은 각각 read, took이다. 03 yesterday는 과거 시제와 함께 쓰는데 '단모음 + 단자음'으로 끝나는 knit의 과거형은 끝 자음을 한 번 더 쓰고 -ed를 붙인다. 04 · 05 과거 시제 문장으로 주어 뒤에 일반동사의 과거형을 쓴다. get은 불규칙 동사로 과거형은 got이고, clean, fail은 뒤에 -ed를 붙이고, '자음 + -y'로 끝나는 study는 y를 i로 바꾸고 -ed를 붙인다.

B 보기 A: Tom은 지난 주말에 무엇을 했니?
B: 그는 지난 주말에 그의 조부모님을 방문했어.
01 A: 그녀는 한 시간 전에 무엇을 했니?
B: 그녀는 한 시간 전에 그림을 그렸어.
02 A: 그들은 지난 방학에 무엇을 했니?
B: 그들은 지난 방학에 유럽을 여행했어.
03 A: 너의 부모님은 어젯밤에 무엇을 하셨니?
B: 그들은 어젯밤에 연주회에 가셨어.
04 A: 그는 무대에서 무엇을 했니?
B: 그는 무대에서 노래를 부르고 춤을 추었어.

과거의 상태나 동작을 묻고 있으므로 과거형으로 대답해야 한다. draw, go, sing은 일정한 규칙이 없이 변하는 불규칙 동사로 과거형은 각각 drew, went, sang이다. 규칙 동사 travel은 동사원형에 -ed를 붙여 과거형을 만들고, -e로 끝나는 dance는 -d만 붙인다.

Sentence Writing
p. 28

A
01 I went to school on foot yesterday.
02 Sam put his gloves on the table.
03 We used his computer last week.
04 They planned a surprise party last night.

B
01 He carried heavy boxes an hour ago.
02 She had a cold yesterday.
03 I borrowed his pencil a few minutes ago.
04 They won the soccer game last weekend.
05 The driver stopped his car at the bus stop.

A 01 '나는'은 주어로 I로 문장을 시작하고, 뒤에 go의 과거형 went가 온다. 시간을 나타내는 표현은 문장 맨 뒤에 온다. 02 'Sam은'은 주어로 Sam으로 문장을 시작하고, 뒤에 put의 과거형 put이 온다. 장소를 나타내는 표현은 문장 맨 뒤에 온다. 03 '우리는'은 주어로 We로 문장을 시작하고, 뒤에 use의 과거형 used가 온다. 04 '그들은'은 주어로 They로 문장을 시작하고, 뒤에 plan의 과거형 planned가 온다.

B 과거의 동작이나 상태를 나타내므로 주어 뒤에 일반동사의 과거형을 써야 하는데, 일반동사의 과거형은 주어의 인칭과 수에 상관없이 같은 형태를 쓴다. 01·03·05 규칙 동사들로 동사원형에 -ed를 붙이고 02·04 불규칙 동사들로 일정한 규칙이 없이 변한다. have → had, win → won

Self-Study
p. 29

A
01 drove 02 hurt 03 woke
04 rode, fell 05 ate, watched

B
01 came 02 planted, died 03 invited, had

C
01 She washed her hair yesterday.
02 The gallery closed last Monday.
03 We heard the news a few minutes ago.
04 My brother cut his birthday cake.

A 01 그는 지난밤에 3시간 동안 그의 차를 운전했다.
02 그녀는 어제 다리를 다쳤다.
03 그들은 오늘 아침에 늦게 일어났다.
04 나는 어제 말을 탔는데, 말에서 떨어졌다.
05 지난 일요일에 우리는 외식을 하고, 영화를 보았다.

last, yesterday 등이 있는 과거 시제 문장들로 주어 뒤에 일반동사의 과거형이 와야 한다. drive, hurt, wake, ride, fall, eat은 불규칙 동사로 과거형은 각각 drove, hurt, woke, rode, fell, ate이고, watch는 규칙 동사로 동사원형에 -ed를 붙인다.

B 01·02 yesterday, ago가 있는 과거 시제 문장들로 주어 뒤에 일반동사의 과거형을 쓴다. come은 불규칙 동사로 과거형은 came이고, plant, die는 규칙 동사로 동사원형에 -ed를 붙이는데, -e로 끝나는 동사 die는 -d만 붙인다. 03 과거의 동작이나 상태를 나타내는 과거 시제 문장으로 일반동사의 과거형을 쓴다. -e로 끝나는 동사 invite는 -d만 붙이고, have는 불규칙 동사로 과거형은 had이다.

C 과거의 동작이나 상태를 나타내므로 주어 뒤에 일반동사의 과거형을 쓴다. 01·02 규칙 동사는 동사원형에 -ed를 붙이고 03·04 불규칙 동사는 일정한 규칙이 없이 변한다. hear → heard, cut → cut

Unit 04 일반동사의 과거 부정문과 의문문

Grammar Practice I
p. 31

A
01 didn't 02 didn't 03 do
04 Did 05 did not 06 Did
07 move 08 didn't, meet 09 Did, lose
10 Did, did 11 Did, didn't

B
01 did 02 didn't 03 didn't
04 was 05 did 06 weren't
07 Did, didn't 08 Were, wasn't 09 Did, did

A 01 그녀는 지난 금요일에 학교에 가지 않았다.
02 그들은 어제 저녁을 먹지 않았다.
03 그는 숙제를 하지 않았다.
04 너는 그 소식을 들었니?
05 나는 지난주에 열심히 공부하지 않았다.
06 그 아기는 어젯밤에 울었니?
07 그들은 지난달에 서울로 이사를 갔니?
08 우리는 어제 만나지 않았다.
09 네 여동생은 신발을 잃어버렸니?
10 어제 너는 내 이름을 알고 있었니? 응, 그랬어.
11 그것은 강에서 살았니? 아니, 그렇지 않았어.

01·02·03·05·08 일반동사의 과거 부정문은 주어에 상관없이 did not (= didn't)이 동사원형 앞에 온다. 04·06·07·09 일반동사의 과거 의문문은 주어에 상관없이 Did가 주어 앞에 오고, 주어 뒤에 동사원형이 온다. 10·11 일반동사의 과거 의문문은 주어에 상관없이 Did가 주어 앞에 오고, 대답은 Yes/No로 하는데, Yes 뒤에는 「주어 + did」가 오고, No 뒤에는 「주어 + didn't」가 온다.

B 01 우리는 지난 주말에 야구를 하지 않았다.
02 나는 오늘 아침에 일찍 일어나지 않았다.
03 그들은 어젯밤 10시에 잠자리에 들지 않았다.
04 그 아이는 작년에 7살이 아니었다.
05 그녀는 많은 질문을 하지 않았다.
06 너는 어제 도서관에 없었다.
07 그가 내 컴퓨터를 썼니? 아니, 그렇지 않았어.
08 너는 작년에 일본에 있었니? 아니, 그렇지 않았어.
09 너희는 최선을 다했니? 응, 그랬어.

01·02·03·05 일반동사의 과거 부정문은 주어에 상관없이 did not (= didn't)을 동사원형 앞에 쓴다. 04·06 문장에 일반동사가 없는 be동사의 과거 부정문으로 주어가 3인칭 단수(The child)일 때 was 뒤에 not을 쓰고, 주어가 you일 때 weren't를 쓴다. 07·09 주어 뒤에 동사원형이 오는 일반동사의 과거 의문문으로 Did를 주어 앞에 쓴다. Yes 뒤에는 「주어 + did」가 오고, No 뒤에는 「주어 + didn't」가 온다. 08 주어 뒤에 동사원형이 오지 않는 be동사의 과거 의문문으로 주어가 you이므로 Were를 주어 앞에 쓴다. No 뒤에는 I wasn't가 온다.

Grammar Practice II
p. 32

A
01 teach 02 didn't 03 didn't read
04 didn't 05 tell 06 Did
07 Did 08 draw 09 did
10 didn't

B
01 He did not (= didn't) go to the beach last Sunday.
02 I did not (= didn't) drop the flower vase.
03 She did not (= didn't) wash her face this morning.
04 Did they stand at the bus stop?
05 Did it snow a lot last winter?
06 Did your team win the game yesterday?

A 01 그는 5년 전에 영어를 가르치지 않았다.

02 지난밤에 비가 많이 오지 않았다.

03 나는 오늘 아침에 신문을 읽지 않았다.

04 우리는 지난 주말에 소풍을 가지 않았다.

05 그녀는 어제 거짓말을 하지 않았다.

06 그들은 어젯밤 파티에서 춤을 추었니?

07 그녀는 어제 자전거를 탔니?

08 네 남동생이 이 그림을 그렸니?

09 네가 그 창문을 닦았니? 응, 그랬어.

10 그것은 소파에서 잤니? 아니, 그렇지 않았어.

01 · 02 · 03 · 04 · 05 ago, last, this morning, yesterday가 있는 일반동사의 과거 부정문으로 동사원형 앞에 did not (= didn't)이 와야 한다. 06 · 07 · 08 일반동사의 과거 의문문으로 Did가 주어 앞에 오고, 주어 뒤에는 동사원형이 와야 한다. 09 · 10 Did로 시작하는 의문문은 Yes/No로 대답하는데, Yes 뒤에는 「주어 + did」가 오고, No 뒤에는 「주어 + didn't」가 온다.

B 01 그는 지난 일요일에 해변에 갔다.
→ 그는 지난 일요일에 해변에 가지 않았다.

02 나는 그 꽃병을 떨어뜨렸다. → 나는 그 꽃병을 떨어뜨리지 않았다.

03 그녀는 오늘 아침에 세수했다. → 그녀는 오늘 아침에 세수하지 않았다.

04 그들은 버스 정류장에 서 있었다. → 그들은 버스 정류장에 서 있었니?

05 지난 겨울에 눈이 많이 왔다. → 지난 겨울에 눈이 많이 왔니?

06 어제 너희 팀이 경기에서 이겼다. → 어제 너희 팀이 경기에서 이겼니?

01 · 02 · 03 과거 부정문으로 바꾸려면 did not (= didn't)을 동사원형 앞에 쓴다.
04 · 05 · 06 과거 의문문으로 바꾸려면 Did를 주어 앞에 쓰고, 주어 뒤에 동사원형을 쓰며, 맨 뒤에 물음표를 붙인다.

Prep Writing

A 01 didn't, go 02 didn't, live

03 didn't, do (= wash) 04 Did, help, did

05 Did, write, didn't

B 01 We did not (= didn't) study at the library.

02 I did not (= didn't) eat a sandwich.

03 Did you have a wonderful time?

04 Did it rain last weekend?

05 Did your mother get up early this morning?

A 01 · 02 · 03 일반동사의 과거 부정문으로 동사원형 앞에 didn't를 쓴다.
04 · 05 일반동사의 과거 의문문으로 Did를 주어 앞에 쓰고, 주어 뒤에 동사원형을 쓴다. 대답은 Yes 뒤에는 「주어 + did」를 쓰고, No 뒤에는 「주어 + didn't」를 쓴다.

B 보기 그녀는 노래를 잘하지 못했다.

01 우리는 도서관에서 공부를 하지 않았다.

02 나는 샌드위치를 먹지 않았다.

03 너는 좋은 시간을 보냈니?

04 지난 주말에 비가 왔니?

05 너의 어머니는 오늘 아침에 일찍 일어나셨니?

01 · 02 일반동사의 과거 부정문은 동사원형 앞에 did not (= didn't)을 쓴다.
03 · 04 · 05 일반동사의 과거 의문문은 Did를 주어 앞에 쓰고, 주어 뒤에 동사원형을 쓰며, 맨 뒤에 물음표를 붙인다.

Sentence Writing

A 01 Did they go to bed at 11 yesterday?

02 We didn't meet her last week.

03 The train didn't arrive on time.

04 Did you buy her birthday present?

B 01 She did not (= didn't) wait for us yesterday.

02 I did not (= didn't) remember his name.

03 We did not (= didn't) tell the truth.

04 Did you watch the magic show?

05 Did Mark hurt his head yesterday?

A 01 · 04 일반동사의 과거 의문문은 「Did + 주어 + 동사원형 ~?」 순으로 쓴다.
02 · 03 일반동사의 과거 부정문은 「주어 + didn't + 동사원형」 순으로 쓴다.

B 01 · 02 · 03 일반동사의 과거 부정문은 주어에 상관없이 did not (= didn't)을 동사원형 앞에 써서 「주어 + didn't + 동사원형」 순으로 쓴다.
04 · 05 일반동사의 과거 의문문은 주어에 상관없이 Did를 주어 앞에 써서 「Did + 주어 + 동사원형 ~?」 순으로 쓴다.

Self-Study

A 01 did 02 take 03 did, do

04 Did, have 05 Did, I did

B 01 was, didn't, drink 02 didn't, play, played

03 Did, bring, did

C 01 It did not (= didn't) rain a lot last night.

02 Did he come back home yesterday? No, he didn't.

03 My nephew did not (= didn't) study hard last year.

04 Did you call your parents today? Yes, I did.

A 01 나의 어머니는 어제 점심을 드시지 않으셨다.

02 그 학생들은 지난주에 시험을 보지 않았다.

03 우리는 어제 숙제를 하지 않았다.

04 그들은 어젯밤에 생일파티를 했니?

05 너는 오늘 아침에 조깅을 했니? 응, 했어.

01 · 02 · 03 일반동사의 과거 부정문은 주어에 상관없이 did not (= didn't)이 동사원형 앞에 온다. 04 일반동사의 과거 의문문은 주어에 상관없이 Did가 주어 앞에 오고, 주어 뒤에는 동사원형이 온다. 05 주어 뒤에 동사원형이 있는 일반동사의 과거 의문문으로 Did가 주어 앞에 온다. Yes 뒤에는 「주어 + did」가 오는데, you로 묻고 있으므로 I로 대답한다.

B 01 주어가 3인칭 단수(It)일 때 be동사의 과거형 was를 쓴다. '마시지 않았다'는 일반동사의 과거 부정으로 didn't 뒤에 동사원형 drink를 쓴다. 02 '치지 않았다'는 일반동사의 과거 부정으로 didn't 뒤에 동사원형 play를 쓰고, '연주했다'는 과거 시제로 play의 과거형 played를 쓴다. 03 일반동사의 과거 의문문으로 Did를 주어 앞에 쓰고, 주어 뒤에 동사원형 bring을 쓴다. Did로 시작하는 의문문에 대한 대답은 Yes 뒤에 「주어 + did」를 쓴다.

C 01 · 03 일반동사의 과거 부정문으로 「주어 + didn't + 동사원형」 순으로 쓴다.
02 · 04 일반동사의 과거 의문문으로 「Did + 주어 + 동사원형 ~?」 순으로 쓴다.

01 ⑤ 02 ① 03 ③ 04 ④ 05 ② 06 ② 07 ①, ⑤
08 ④ 09 ⑤ 10 ① 11 ③
12 went, rode, was, screamed, ate, did not (= didn't) enter,
   bought, was   13 felt, didn't, get   14 Did, go, didn't
15 My brothers fought yesterday.
16 Did they build a new house? Yes, they did.
17 was at the library, studied English
18 met Sarah and ate lunch   19 listened to music

01 그는 작년에 두 권의 책을 썼다.

last는 과거 시제와 함께 쓰므로 주어 뒤에 동사의 과거형이 와야 하는데, write는 불규칙 동사로 과거형은 wrote이다.

02 그들은 어제 파티에 오지 않았다.

yesterday가 있는 일반동사의 과거 부정문으로 didn't 뒤에는 일반동사의 동사원형이 온다.

03 그 학생들은 지난 금요일에 학교에 늦었니?

주어 뒤에 동사원형이 없는 be동사의 과거 의문문으로 주어가 복수이므로 Were가 주어 앞에 온다.

04 우리는 5년 전에 뉴욕에 있었다/살았다/머물렀다/머무르지 않았다.

ago는 과거 시제와 함께 쓰므로 현재형 live는 올 수가 없다.

05 Jason은 어제 매우 피곤했다. 그래서 그는 어젯밤에 일찍 잠자리에 들었다.

yesterday, last는 과거 시제와 함께 쓰는데, 주어가 3인칭 단수이므로 be동사의 과거형 was와 일반동사 go의 과거형 went가 온다.

06 A: 네 여동생은 오늘 아침에 울었니?   B: 아니, 그렇지 않았어.

주어 뒤에 동사원형이 오는 일반동사의 과거 의문문으로 주어 앞에 Did가 온다. No 뒤에는 「주어 + didn't」가 온다.

07 ① 그는 어제 농구를 했다.
   ② 그녀는 지난주에 열심히 일했니?
   ③ 나는 그 소식을 듣지 못했다.
   ④ 지난 겨울은 춥고 바람이 불었니?
   ⑤ 너의 할아버지는 작년에 돌아가셨니?

② Was → Did   ③ heard → hear   ④ Did → Was

08 ① 나는 그녀의 여동생을 알지 못했다. → 나는 그녀의 여동생을 알았다.
   ② 그녀는 호텔에 머물렀다. → 그녀는 호텔에 머물지 않았다.
   ③ 그는 어제 숙제를 했다. → 그는 어제 숙제를 했니?
   ④ 그 영화는 제시간에 시작했다. → 그 영화는 제시간에 시작했니?
   ⑤ 우리는 지난주에 최선을 다했다.
      → 우리는 지난주에 최선을 다하지 않았다.

① knowed → knew   ② doesn't → didn't   ③ Did he → Did he do
⑤ tried → try

09 ⑤ went → go
일반동사의 과거 부정문으로 didn't 뒤에는 동사원형이 와야 한다.

10 ① Were → Did
일반동사의 과거 의문문으로 주어 앞에 Did가 와야 한다.

11 ③ wasn't → did not (= didn't)
일반동사의 과거 부정문으로 동사원형 have 앞에 did not (= didn't)이 와야 한다.

12 내 친구와 나는 지난 주말에 놀이공원에 갔었다. 우리는 롤러코스터를 탔다. 그것은 무서웠다. 그래서 우리는 소리를 많이 질렀다. 우리는 점심으로 피자를 먹었다. 우리는 유령의 집에는 들어가지 않았다. 내 친구 Joe는 몇 개의 장난감을 샀다. 즐거운 하루였다.

go, ride, eat, buy는 불규칙 동사로 과거형 went, rode, ate, bought를 쓰고, scream은 규칙 동사로 뒤에 -ed를 붙인다. 일반동사의 과거 부정문은 did not (= didn't)을 동사원형 enter 앞에 쓴다. 주어가 3인칭 단수(It)일 때 be동사의 과거형은 was를 쓴다.

13 과거의 동작이나 상태를 나타내는 과거 시제 문장들로 '느꼈다'는 feel의 과거형 felt를 쓰고, '일어나지 않았다'는 과거 부정문으로 didn't 뒤에 동사원형 get을 쓴다.

14 yesterday가 있는 일반동사의 과거 의문문으로 Did를 주어 앞에 쓰고, 주어 뒤에 동사원형 go를 쓴다.

15 yesterday가 있는 과거 시제 문장으로 주어 뒤에 일반동사의 과거형을 쓴다. fight는 불규칙 동사로 과거형은 fought이다.

16 일반동사의 과거 의문문은 「Did + 주어 + 동사원형 ~?」 순으로 쓴다.

17 Mom 너는 어제 11시에 어디에 있었니?   Kate 도서관에 있었어요.
   Mom 도서관에서 무엇을 했니?   Kate 영어 공부를 했어요.

과거의 상태나 동작을 묻고 있으므로 과거형으로 대답한다. 주어가 I일 때 be동사의 과거형은 was를 쓰고, '자음 + y'로 끝나는 동사 study는 y를 i로 바꾸고 -ed를 붙인다.

18 Mom 오후 2시에는 무엇을 했니?
   Kate Sarah를 만나서 점심을 먹었어요.

meet은 불규칙 동사로 과거형은 met이다.

19 Mom 저녁에는 무엇을 했니?   Kate 음악을 들었어요.

listen은 -ed를 붙여 과거형을 만든다.

Unit 05 will, be going to

Grammar Practice I   p. 41

A 01 will go   02 are going to   03 be
  04 is   05 will arrive   06 ask
  07 is   08 will   09 visit
  10 be   11 will buy   12 are, play

B 01 is   02 am   03 is   04 is
  05 is   06 are   07 are   08 is
  09 are   10 are

A 01 우리는 다음 주에 소풍을 갈 것이다.
  02 너는 운이 좋을 것이다.
  03 내일 날씨는 눈이 올 것이다.
  04 그녀는 도서관에서 공부할 것이다.
  05 그 기차는 제시간에 도착할 것이다.
  06 그는 많은 질문을 할 것이다.
  07 너의 어머니는 곧 돌아오실 것이다.
  08 나는 Jane과 쇼핑을 갈 것이다.
  09 George는 런던을 방문할 것이다.
  10 그 영어 시험들은 어려울 것이다.
  11 그들은 우유를 조금 살 것이다.
  12 우리는 피아노를 칠 것이다.

01 · 03 · 10 · 11 will 뒤에는 동사원형이 온다. 02 · 04 · 07 be going to 에서 be동사는 주어가 You일 때 are가 오고, 주어가 3인칭 단수(She, Your mother)일 때 is가 온다. 05 will은 주어에 상관없이 같은 형태를 쓴다. 06 · 09 be going to 뒤에는 동사원형이 온다. 08 주어가 I일 때 will이나 am going to가 온다. 12 주어가 We일 때 be동사는 are가 오고, going to 뒤에는 동사원형이 온다.

B 01 그는 선생님이 될 것이다.
  02 나는 조부모님을 방문할 것이다.
  03 그녀는 숙제를 할 것이다.
  04 네 남동생은 자전거를 탈 것이다.
  05 다음 주는 추울 것이다.
  06 그 게임들은 흥미진진할 것이다.
  07 그들은 우리를 도울 것이다.
  08 David는 버스로 학교에 갈 것이다.
  09 너는 그 경기에서 이길 것이다.
  10 우리는 내년에 14살이 될 것이다.

미래의 일을 말할 때 쓰는 be going to의 be동사는 주어의 인칭과 수에 따라 형태가 달라지는데 01 · 03 · 04 · 05 · 08 주어가 3인칭 단수일 때는 is를 쓰고 02 주어가 I일 때는 am을 쓰고 06 · 07 · 09 · 10 주어가 You 또는 복수일 때는 are를 쓴다.

Grammar Practice II   p. 42

A 01 We will have a great time at the party.
  02 She will be (= become) in the fifth grade.
  03 The student will learn Chinese.
  04 The movie will start in five minutes.
  05 I will be very tired.

B 01 It is going to be snowy next Friday.
  02 I am going to go to the post office.
  03 Your sister is going to become a famous artist.
  04 They are going to stay at home this weekend.
  05 She is going to invite many friends to the party.
  06 My parents are going to travel to Europe.

A 01 우리는 파티에서 좋은 시간을 보낸다.
    → 우리는 파티에서 좋은 시간을 보낼 것이다.
  02 그녀는 5학년이다. → 그녀는 5학년이 될 것이다.
  03 그 학생은 중국어를 배운다. → 그 학생은 중국어를 배울 것이다.
  04 그 영화는 5분 후에 시작한다. → 그 영화는 5분 후에 시작할 것이다.
  05 나는 매우 피곤하다. → 나는 매우 피곤할 것이다.

will은 주어에 상관없이 항상 같은 형태를 쓰고 뒤에는 동사원형이 오므로, 주어진 문장에서 주어 뒤에 will을 쓰고 동사를 동사원형으로 바꾼다.
02 · 05 is, am의 동사원형은 be이다.

B 01 다음 금요일에 눈이 올 것이다.
  02 나는 우체국에 갈 것이다.
  03 네 언니는 유명한 예술가가 될 것이다.
  04 그들은 이번 주말에 집에 머무를 것이다.
  05 그녀는 파티에 많은 친구들을 초대할 것이다.
  06 나의 부모님은 유럽을 여행하실 것이다.

미래의 일을 말할 때 쓰는 조동사 will은 be going to로 바꾸어 쓸 수 있는데, be going to의 be동사는 주어의 인칭과 수에 따라 구별해서 써야 한다.
01 · 03 · 05 주어가 3인칭 단수일 때 be동사는 is를 02 주어가 I일 때 be동사는 am을 04 · 06 주어가 복수일 때 be동사는 are를 쓴다.

Prep Writing   p. 43

A 01 is, going, be   02 are, going, go
  03 will, study, will, be (= become)   04 is, going, be
  05 will, be, will, pass

B 01 Your mother <u>is</u> going to plant some flowers.
  02 He is going to <u>get</u> up early.
  03 The airplane <u>will</u> leave on time.
  04 She <u>will move</u> to a city next month.
  05 Sophia and I will <u>be</u> 14 years old next year.

A 미래의 일을 말하고 있으므로 will이나 be going to를 사용하여 미래 시제로 쓴다. 01 · 04 주어가 3인칭 단수일 때 is going to를 쓰고, 뒤에 동사원형 be를 쓴다. 02 주어가 복수일 때 are going to를 쓰고, 뒤에 동사원형 go를 쓴다. 03 · 05 will은 주어에 상관없이 같은 형태를 쓰고, 뒤에 동사원형 study, become, be, pass를 쓴다.

B 01 너의 어머니는 꽃을 조금 심으실 것이다.
  02 그는 일찍 일어날 것이다.
  03 그 비행기는 제시간에 떠날 것이다.
  04 그녀는 다음 달에 도시로 이사할 것이다.
  05 Sophia와 나는 내년에 14살이 될 것이다.

01 주어가 3인칭 단수이므로 are가 아니라 is를 쓴다. 02 be going to 뒤에는 동사원형 get을 쓴다. 03 will은 주어에 상관없이 같은 형태를 쓴다. 04 will은 동사원형 앞에 쓴다. 05 will 뒤에는 동사원형 be를 쓴다.

Sentence Writing
p. 44

A
01 I am going to have a test tomorrow.
02 He will write an email soon.
03 She will be absent next Monday.
04 They are going to visit China next year.

B
01 Your dream will come true.
02 The party is going to be over soon.
03 We will meet him at the station.
04 I am going to wear sunglasses.
05 They are going to like your present.

A 01 · 04 be going to를 사용하여 미래의 일을 말할 때 「주어 + be going to + 동사원형」 순으로 쓴다. 시간을 나타내는 표현은 문장 맨 뒤에 온다. 02 · 03 will을 사용하여 미래의 일을 말할 때 「주어 + will + 동사원형」 순으로 쓴다.

B 01 · 03 will을 사용하여 미래의 일을 말할 때 「주어 + will + 동사원형」 순으로 쓴다. 02 · 04 · 05 be going to를 사용하여 미래의 일을 말할 때 「주어 + be going to + 동사원형」 순으로 쓰는데, be동사는 주어가 3인칭 단수일 때는 is를 쓰고, 주어가 I일 때는 am을 쓰고, 주어가 복수일 때는 are를 쓴다.

Self-Study
p. 45

A
01 go
02 will
03 am going to
04 be
05 is, make

B
01 is, to, rain
02 are, going, take
03 will, like, will, be

C
01 She is going to leave tomorrow.
02 He will call you tonight.
03 We are going to help each other.
04 His pictures will be expensive.

A
01 그는 오늘 밤 일찍 잠자리에 들 것이다.
02 우리는 내일 집을 청소할 것이다.
03 나는 숙제를 곧 끝낼 것이다.
04 그의 이야기는 재미있을 것이다.
05 너의 아버지는 저녁을 준비하실 것이다.

01 be going to 뒤에는 동사원형이 온다. 02 will은 주어에 상관없이 같은 형태를 쓴다. 03 주어가 I일 때 am going to가 온다. 04 will 뒤에는 동사원형이 오는데 is의 동사원형은 be이다. 05 주어가 3인칭 단수일 때 is going to가 오고, 뒤에는 동사원형이 온다.

B 미래의 일을 말하고 있으므로 will이나 be going to를 사용하여 미래 시제로 쓴다. 01 주어가 3인칭 단수일 때 is going to를 쓰고, 뒤에 동사원형 rain을 쓴다. 02 주어가 복수일 때 are going to를 쓰고, 뒤에 동사원형 take를 쓴다. 03 will은 주어에 상관없이 같은 형태를 쓰고, 뒤에 동사원형 like와 be를 쓴다.

C 01 · 03 be going to를 사용하여 미래의 일을 말할 때 「주어 + be going to + 동사원형」 순으로 쓰는데, be동사는 주어가 3인칭 단수일 때는 is를 쓰고, 주어가 복수일 때는 are를 쓴다. 02 · 04 will을 사용하여 미래의 일을 말할 때 「주어 + will + 동사원형」 순으로 쓴다.

Unit 06 미래 시제의 부정문과 의문문

Grammar Practice I
p. 47

A
01 am not
02 go
03 Are
04 watch
05 won't
06 We
07 is not
08 Will she, bring
09 Will, will
10 Is, isn't

B
01 will, not
02 am, not, going, to
03 are, not, going, to
04 Is, going, to
05 Will, have
06 Are, going, to, be

A
01 나는 그를 믿지 않을 것이다.
02 그는 소풍을 가지 않을 것이다.
03 너는 치과 의사가 될 것이니?
04 그들은 TV를 보지 않을 것이다.
05 내일 비가 오지 않을 것이다.
06 우리는 학교에 늦지 않을 것이다.
07 그 영화는 곧 끝나지 않을 것이다.
08 그녀는 우산을 가져올까?
09 그 시험들은 어려울까? 응, 그럴 거야.
10 네 여동생은 잠을 잘 것이니? 아니, 그러지 않을 거야.

be going to의 부정문은 be동사 뒤에 not이 오는데 01 · 04 · 07 주어가 I일 때는 am, 주어가 복수일 때는 are, 주어가 3인칭 단수일 때는 is 뒤에 not이 온다. be not going to 뒤에는 동사원형이 온다. 02 will not 뒤에는 동사원형이 온다. 03 · 10 going to가 있는 미래 시제의 의문문으로 주어가 you이면 Are가 오고, 3인칭 단수이면 Is가 온다. 05 주어가 3인칭 단수이므로 will not (= won't)이 오거나 is not going to가 올 수 있다. 06 are not going to 앞에는 복수 주어인 We가 올 수 있다. 08 · 09 will의 의문문은 Will이 주어 앞에 오고, 주어 뒤에 동사원형이 온다. 대답은 Yes 뒤에 「주어 + will」이 온다.

B
01 그녀는 라디오를 듣지 않을 것이다.
02 나는 다시는 그녀에게 말을 하지 않을 것이다.
03 우리는 그들을 잊지 않을 것이다.
04 그 기차는 제시간에 도착할까?
05 그들은 오늘 밤 파티를 열 것이니?
06 너는 6학년이 되니?

01 · 02 · 03 미래 시제의 부정문으로 will not (= won't)과 be not going to를 서로 바꾸어 쓸 수 있는데, will은 주어에 상관없이 같은 형태를 쓰고, be동사는 주어의 인칭과 수에 따라 am, are, is를 쓴다. 04 · 05 · 06 미래 시제의 의문문으로 will과 be going to를 서로 바꾸어 쓸 수 있는데, will의 의문문은 will을 주어 앞에 쓰고, 주어 뒤에 동사원형을 쓴다. be going to의 의문문은 be동사를 주어 앞에 쓰고, 주어 뒤에 「going to + 동사원형」을 쓴다.

Grammar Practice II
p. 48

A
01 cry
02 Is
03 need
04 Are
05 are
06 will not open
07 Is
08 will not (= won't)
09 have
10 삭제

B
01 We will not (= won't) dance at the party.
02 Will she buy a new backpack?
03 The weather will not (= won't) be fine tomorrow.
04 Is Jason going to go for a walk?
05 I am not going to meet my friends.
06 Are they going to be at school?

A
01 그 아기는 울지 않을 것이다.
02 오늘 밤에 눈이 올까?
03 그녀는 너의 도움이 필요하지 않을 것이다.

04 너는 숙제를 할 것이니?
05 우리는 정크 푸드를 먹지 않을 것이다.
06 그 가게는 아침에 일찍 열지 않을 것이다.
07 네 언니는 스페인어를 배울 것이니?
08 그들은 다시는 싸우지 않을 것이다.
09 너는 점심으로 샌드위치를 먹을 것이니?
10 제가 학교에 늦을까요?

01 · 03 going to나 will not 뒤에는 동사원형이 와야 한다. 02 · 04 · 07 be going to의 의문문에서 주어가 3인칭 단수이면 Is가, you이면 Are가 주어 앞에 와야 한다. 05 주어가 복수이면서 뒤에 going to가 있으므로 will이 아니라 are가 와야 한다. 06 will의 부정문은 will 뒤에 not이 오고, 그 뒤에 동사원형이 온다. 08 will not 또는 줄여서 won't를 써야 한다. 09 will의 의문문으로 주어 뒤에 동사원형 have가 와야 한다. 10 be going to의 의문문으로 주어 뒤에 「going to + 동사원형」이 오므로 be를 삭제해야 한다.

B 01 우리는 파티에서 춤을 출 것이다.
→ 우리는 파티에서 춤을 추지 않을 것이다.
02 그녀는 새 배낭을 살 것이다. → 그녀는 새 배낭을 살 것이니?
03 내일 날씨가 좋을 것이다. → 내일 날씨가 좋지 않을 것이다.
04 Jason은 산책을 갈 것이다. → Jason은 산책을 갈 것이니?
05 나는 친구들을 만날 것이다. → 나는 친구들을 만나지 않을 것이다.
06 그들은 학교에 있을 것이다. → 그들은 학교에 있을 것이니?

01 · 03 · 05 미래 시제의 부정문은 will이나 be동사 뒤에 not을 쓰는데, will not은 줄여서 won't로 쓸 수 있다. 02 will의 의문문은 will을 주어 앞에 쓴다. 04 · 05 be going to의 의문문은 be동사를 주어 앞에 쓰고, 주어 뒤에 「going to + 동사원형」을 쓴다.

Prep Writing

A 01 Will, play
02 am, not, be
03 will, not, forget
04 Are, going, help
05 won't, be, won't, go

B 01 I am not going to tell lies.
02 Will she go to school by bus?
03 The vegetables will not (= won't) be fresh.
04 Are you going to leave early?
05 Is Michael going to come to the party?

A 01 주어 뒤에 going to가 없는 미래 시제의 의문문으로 Will을 주어 앞에 쓰고, 주어 뒤에 동사원형을 쓴다. 02 주어가 I이고 going to가 있는 be going to의 부정문으로 am 뒤에 not을 쓰고, going to 뒤에 동사원형 be를 쓴다. 03 · 05 going to가 없는 will의 부정문으로 will not (= won't) 뒤에 동사원형 forget, be, go를 쓴다. 04 주어 you 뒤에 going to가 있는 be going to의 의문문으로 Are를 주어 앞에 쓰고, going to 뒤에 동사원형 help를 쓴다.

B 보기 그는 게임을 하지 않을 것이다.
01 나는 거짓말을 하지 않을 것이다.
02 그녀는 버스로 학교에 갈 것이니?
03 그 채소들은 신선하지 않을 것이다.
04 너는 일찍 떠날 것이니?
05 Michael이 파티에 올까?

01 주어가 I인 be going to의 부정문은 am not going to를 쓴다. 02 will의 의문문은 will을 주어 앞에 쓴다. 03 will의 부정문은 will 뒤에 not을 쓴다. 04 · 05 be going to의 의문문은 주어가 you일 때는 Are를, 주어가 3인칭 단수일 때는 Is를 주어 앞에 쓰고, 주어 뒤에 「going to + 동사원형」을 쓴다.

Sentence Writing

A 01 We are not going to go to bed early.
02 I will not bring my umbrella.
03 Is the concert going to start at 7?
04 Will your sister wash her hair tomorrow?

B 01 It is not (= isn't) going to snow tonight.
02 Are you going to (= become) 13 years old next year?
03 He will not (= won't) wait for us tomorrow.
04 Is she going to call him? No, she isn't.
05 Will they win the final game? Yes, they will.

A 01 · 02 미래 시제의 부정문은 will이나 be동사 뒤에 not을 써서 「주어 + will not + 동사원형」이나 「주어 + be not going to + 동사원형」 순으로 쓴다. 03 · 04 미래 시제의 의문문은 「Will + 주어 + 동사원형 ~?」이나 「be동사 + 주어 + going to + 동사원형 ~?」 순으로 쓴다.

B 01 주어가 3인칭 단수일 때 be going to의 부정문은 「주어 + is not going to + 동사원형」 순으로 쓴다. 02 · 04 be going to의 의문문은 「be동사 + 주어 + going to + 동사원형 ~?」 순으로 쓰는데, be동사는 주어가 you이면 Are를, 주어가 3인칭 단수이면 Is를 쓴다. 03 will의 부정문은 「주어 + will not + 동사원형」 순으로 쓴다. 05 will의 의문문은 「Will + 주어 + 동사원형 ~?」 순으로 쓴다.

Self-Study

A 01 pass
02 will not
03 aren't, do
04 Will, will
05 Is, isn't

B 01 will, not
02 am, not, fight
03 Are, going, welcome, are

C 01 She will not (= won't) be at the train station.
02 We are not going to join the club.
03 Will you forgive him? No, I will not (= won't).
04 Is George going to win the race? Yes, he is.

A 01 그녀는 그 영어 시험에 통과할까?
02 그의 질문은 어렵지 않을 것이다.
03 내 여동생과 나는 설거지를 하지 않을 것이다.
04 너는 산책을 갈 것이니? 응, 그럴 거야.
05 그는 하이킹을 갈 것이니? 아니, 그러지 않을 거야.

01 will의 의문문으로 주어 뒤에 동사원형이 온다. 02 will의 부정문은 will 뒤에 not이 오는데, will not은 줄여서 won't로 쓸 수 있다. 03 going to가 있는 미래 시제의 부정문으로 주어가 복수일 때 aren't를 쓰고 going to 뒤에는 동사원형이 온다. 04 will의 의문문은 will이 주어 앞에 오고, 대답은 Yes 뒤에 「주어 + will」이 온다. 05 going to가 있는 미래 시제의 의문문으로 주어가 3인칭 단수일 때 Is가 주어 앞에 오고, No 뒤에는 「주어 + isn't」가 온다.

B 01 going to가 없는 will의 부정문으로 will 뒤에 not을 쓴다. 02 be going to의 부정문으로 주어 I 뒤에 am not을 쓰고, going to 뒤에 동사원형 fight를 쓴다. 03 주어가 they인 be going to의 의문문으로 Are를 주어 앞에 쓰고, going to 뒤에 동사원형 welcome을 쓴다. 대답은 Yes 뒤에 「주어 + are」가 온다.

C 01 · 02 미래 시제의 부정문은 will이나 be동사 뒤에 not을 써서 「주어 + will not + 동사원형」이나 「주어 + be not going to + 동사원형」 순으로 쓴다. 03 · 04 미래 시제의 의문문은 「Will + 주어 + 동사원형 ~?」이나 「be동사 + 주어 + going to + 동사원형 ~?」 순으로 쓴다.

정답 및 해설 **13**

01 ②   02 ③   03 ⑤   04 ③   05 ⑤   06 ①   07 ②   08 ⑤
09 ③   10 ④   11 ②   12 ①   13 ⑤
14 is, won't, be   15 Are, move, are
16 We will not (= won't) use your computer.
17 Is she going to keep a diary?   18 am, practice, is, study
19 are, meet   20 Will, help, won't, will

01 너의 부모님은 너를 믿지 않을 것이다.
주어가 복수인 미래 시제로 will, are going to 또는 부정문으로 will not, aren't going to가 올 수 있다.

02 Mark는 내일 일찍 일어날 것이니?
주어 뒤에 going to가 있는 be going to의 의문문으로 주어가 3인칭 단수일 때 Is가 주어 앞에 온다.

03 우리는 다음 토요일에 파티를 열/열지 않을/열지 않을/열지 않을 것이다.
주어가 복수이므로 is going to는 올 수 없다.

04 그는 다음 일요일에/오늘 밤/다음 주에/내일 TV를 보지 않을 것이다.
미래 시제의 부정문으로 과거 시제와 함께 쓰는 yesterday는 올 수 없다.

05 나는 다음 주에 서울에 없을 것이다.
미래 시제의 부정문으로 am not going to는 will not (= won't)으로 바꾸어 쓸 수 있다.

06 Kevin이 내 선물을 좋아할까?
미래 시제의 의문문으로 will은 be going to로 바꾸어 쓸 수 있는데, 주어가 3인칭 단수이므로 Is가 주어 앞에 오고, 주어 뒤에는 「going to + 동사원형」이 온다.

07 A: 너희는 밖에서 놀 것이니?   B: 아니, 그러지 않을 거야.
be going to의 의문문은 주어가 you일 때 Are가 주어 앞에 오고, 대답은 2인칭 복수(you)로 묻고 있으므로 No 뒤에 we aren't가 온다.

08 ① 내일 날씨가 추울까?
② 나는 점심을 먹지 않을 것이다.
③ 그는 그녀를 초대하지 않을 것이다.
④ 우리는 드럼을 칠 것이다.
⑤ 너는 선생님이 될 것이니?
⑤ to a teacher → to become a teacher
be going to의 의문문으로 going to 뒤에 동사원형 be나 become이 와야 한다.

09 ① 그 수학 시험은 쉬울 것이다. → 그 수학 시험은 쉽지 않을 것이다.
② 그녀는 그 기차를 탈 것이다. → 그녀는 그 기차를 탈 것이니?
③ 우리는 피곤할 것이다. → 우리는 피곤하지 않을 것이다.
④ 그는 목욕을 할 것이다. → 그는 목욕을 할 것이니?
⑤ 나는 자전거를 탈 것이다. → 나는 자전거를 타지 않을 것이다.
① won't is → won't be   ② takes → take   ④ to takes a bath → to take a bath   ⑤ am going to not → am not going to

10 ④ will → am
미래 시제에서 주어가 I일 때 going to 앞에는 be동사 am이 와야 한다.

11 ② is → be
will 뒤에는 동사원형이 와야 한다.

12 ① Are → Is
주어가 3인칭 단수인 be going to의 의문문으로 주어 앞에 Is가 와야 한다.

13 ⑤ to busy → to be busy
be going to의 부정문으로 going to 뒤에 동사원형 be가 와야 한다.

14 첫 번째 문장은 주어가 3인칭 단수(It)인 미래 시제로 going to 앞에는 be동사

is를 쓴다. 두 번째 문장은 going to가 없는 will의 부정문으로 won't 뒤에 동사원형 be를 쓴다.

15 주어가 you인 be going to의 의문문으로 Are를 주어 앞에 쓰고, going to 뒤에 동사원형 move를 쓴다. 대답은 Yes 뒤에 「주어 + are」가 온다.

16 will의 부정문으로 will 뒤에 not을 써서 「주어 + will not + 동사원형」 순으로 쓴다.

17 주어가 3인칭 단수인 be going to의 의문문으로 「Is + 주어 + going to + 동사원형 ~?」 순으로 쓴다.

18 다음 화요일에, 나는 플루트를 연습할 것이다. Betty는 영어를 공부할 것이다.
be going to를 사용하여 미래의 일을 말할 때 주어가 I일 때는 be동사 am을 쓰고, 주어가 3인칭 단수일 때는 is를 쓴다. going to 뒤에는 동사원형을 쓴다.

19 다음 금요일에, Betty와 나는 Kate를 함께 만날 것이다.
be going to를 사용하여 미래의 일을 말할 때 주어가 복수일 때는 be동사 are를 쓰고, going to 뒤에는 동사원형을 쓴다.

20 Betty는 다음 일요일에 어머니를 도울 것이니? 응, 그럴 거야. 그러나 나는 어머니를 돕지 않을 거야. 나는 하이킹을 갈 거야.
will의 의문문은 will을 주어 앞에 쓰고 주어 뒤에 동사원형을 쓴다. will의 부정문은 will 뒤에 not을 쓰는데 줄여서 won't로 쓴다. will을 사용하여 미래의 일을 말할 때 will은 주어에 상관없이 같은 형태를 쓴다.

Chapter 04 ◀ 조동사

Unit 07 능력, 가능, 허락의 조동사

Grammar Practice I
p. 57

A	01 play	02 may go	03 May	04 can win
	05 use	06 can ride	07 can	08 cannot
	09 can't	10 Can, jump		

B	01 am, able, to	02 is, not, able, to	03 Is, able, to
	04 cannot (= can't)	05 Can, come	06 can, read

A 01 내 여동생은 바이올린을 연주할 수 있다.
02 너는 극장에 가도 좋다.
03 도와드릴까요?
04 Susan은 그 경기에서 이길 수 있다.
05 당신의 컴퓨터를 사용해도 될까요?
06 그녀는 말을 탈 수 있다.
07 그는 스페인어를 말할 수 있다.
08 그들은 콘서트에 갈 수 없다.
09 나는 숙제를 끝낼 수 없다.
10 개구리는 높이 뛸 수 있니?

01 · 02 조동사 뒤에는 동사원형이 온다. 03 주어가 I이므로 Does는 올 수 없고, 상대방의 허락을 구할 때 쓰는 May가 온다. 04 조동사는 주어에 상관없이 같은 형태를 쓴다. 05 · 10 can의 의문문은 주어 앞에 Can을 쓰고, 주어 뒤에는 동사원형이 온다. 06 조동사는 동사 앞에 온다. 07 능력이나 가능을 나타낼 때 can이나 be able to를 쓸 수 있는데, 주어가 3인칭 단수일 때는 is able to를 쓴다. 08 can의 부정형은 cannot이다. 09 주어가 I이므로 can't나 am not able to가 올 수 있다.

B 01 나는 그 질문에 대답할 수 있다.
02 그녀는 트럭을 운전할 수 없다.
03 그것은 빨리 헤엄칠 수 있니?
04 그들은 기타를 연주할 수 없다.
05 너는 파티에 올 수 있니?
06 그 어린 소년은 알파벳을 읽을 수 있다.

can은 be able to와 서로 바꾸어 쓸 수 있는데, be able to의 be동사는 주어의 인칭과 수에 따라 구별해서 써야 한다. 01 주어가 I일 때는 am을 쓰고 02 · 03 주어가 3인칭 단수일 때는 is를 쓴다. 부정문은 be동사 뒤에 not을 쓰고, 의문문은 be동사를 주어 앞에 쓴다. 04 · 05 · 06 can은 주어에 상관없이 같은 형태를 쓴다. 부정문은 cannot (= can't)을 쓰고, 의문문은 Can을 주어 앞에 쓴다.

Grammar Practice II
p. 58

A	01 can	02 play	03 visit
	04 am not able to	05 cannot (= can't)	06 cook
	07 use	08 Are	09 go
	10 open		

B	01 He cannot (= can't) attend the meeting.
	02 I am not able to go with you.
	03 They are not able to take the train.
	04 Is she able to speak Chinese?
	05 Can the baby count?
	06 May we watch TV after dinner?

A 01 그는 두 개의 언어를 말할 수 있다.
02 네 남동생은 피아노를 칠 수 있니?

03 너는 이번 주말에 우리를 방문해도 좋다.
04 나는 자전거를 탈 수 없다.
05 우리는 오늘 밤 영화를 볼 수 없다.
06 그녀는 스파게티를 요리할 수 있다.
07 당신의 휴대전화를 써도 될까요?
08 너의 부모님이 우리를 도와줄 수 있니?
09 John은 오늘 학교에 갈 수 없다.
10 창문을 열어도 될까요?

01 조동사는 주어에 상관없이 같은 형태를 써야 한다. 02 · 07 · 10 조동사로 시작하는 의문문에서 주어 뒤에는 동사원형이 와야 한다. 03 · 09 조동사나 조동사의 부정형 뒤에는 동사원형이 와야 한다. 04 am able to의 부정형은 am 뒤에 not을 쓴다. 05 can의 부정형은 cannot (= can't)이다. 06 be able to 뒤에는 동사원형이 와야 한다. 08 be able to의 의문문에서 주어가 복수일 때는 Are가 주어 앞에 와야 한다.

B 01 그는 그 회의에 참석할 수 있다. → 그는 그 회의에 참석할 수 없다.
02 나는 너와 함께 갈 수 있다. → 나는 너와 함께 갈 수 없다.
03 그들은 그 기차를 탈 수 있다. → 그들은 그 기차를 탈 수 없다.
04 그녀는 중국어를 말할 수 있다. → 그녀는 중국어를 말할 수 있니?
05 그 아기는 수를 셀 수 있다. → 그 아기는 수를 셀 수 있니?
06 우리는 저녁 식사 후에 TV를 봐도 된다.
   → 우리는 저녁 식사 후에 TV를 봐도 되나요?

01 can의 부정문은 cannot (= can't)을 쓴다. 02 · 03 be able to의 부정문은 be동사 뒤에 not을 쓴다. 04 be able to의 의문문은 be동사를 주어 앞에 쓴다. 05 · 06 can이나 may의 의문문은 Can이나 May를 주어 앞에 쓴다.

Prep Writing
p. 59

A	01 cannot (= can't), hear	02 Is, able, make
	03 Can, call	04 may (= can), meet
	05 May (= Can), go	

B	01 You can wear my coat.
	02 They are not (= aren't) able to use chopsticks.
	03 David cannot (= can't) win a gold medal.
	04 Is a penguin able to fly?
	05 May I have some cake?

A 01 '~할 수 없다'는 동사원형 앞에 cannot (= can't)을 쓴다. 02 be able to를 사용하여 '~할 수 있니?'라고 물을 때 주어가 3인칭 단수이므로 Is를 주어 앞에 쓰고, able to 뒤에 동사원형을 쓴다. 03 '~할 수 있니?'라고 물을 때 Can을 주어 앞에 쓰고, 주어 뒤에 동사원형을 쓴다. 04 '~해도 좋다'는 조동사 may (= can) 뒤에 동사원형을 쓴다. 05 허락을 구할 때는 조동사 May (= Can)를 주어 앞에 쓰고, 주어 뒤에 동사원형을 쓴다.

B 보기 그 개는 수영을 잘할 수 있다.
01 너는 내 코트를 입어도 좋다.
02 그들은 젓가락을 사용할 수 없다.
03 David는 금메달을 딸 수 없다.
04 펭귄은 날 수 있니?
05 케이크를 좀 먹어도 될까요?

01 can의 긍정문은 can 뒤에 동사원형을 쓴다. 02 be able to의 부정문은 be동사 뒤에 not을 쓰는데 주어가 복수이므로 are not able to를 쓰고, 뒤에 동사원형을 쓴다. 03 can의 부정문은 cannot (= can't) 뒤에 동사원형을 쓴다. 04 be able to의 의문문은 be동사가 주어 앞에 오는데 주어가 3인칭 단수이므로 Is를 주어 앞에 쓰고, able to 뒤에 동사원형을 쓴다. 05 may의 의문문은 May를 주어 앞에 쓰고, 주어 뒤에 동사원형을 쓴다.

Sentence Writing

p. 60

A 01 We cannot understand his question.
  02 Can you remember my English teacher?
  03 She is not able to arrive on time.
  04 May I sit on the chair?

B 01 We can (= are able to) swim across the river.
  02 Emma cannot (= can't) fix her bike.
  03 Are you able to come to the party?
  04 You may (= can) take a rest.
  05 May (= Can) I go hiking with you?

A 01 조동사 can의 부정문은 「주어 + cannot + 동사원형」 순으로 쓴다.
  02 · 04 조동사 can, may의 의문문은 「Can/May + 주어 + 동사원형 ~?」
  순으로 쓴다. 03 능력이나 가능을 나타내는 be able to의 부정문은 주어가
  3인칭 단수일 때 「주어 + is not able to + 동사원형」 순으로 쓴다.

B 01 능력이나 가능을 나타낼 때 「주어 + can + 동사원형」이나 「주어 + be able
  to + 동사원형」을 쓰는데, 주어가 We이므로 be동사는 are를 쓴다. 02 can의
  부정문은 「주어 + cannot + 동사원형」 순으로 쓴다. 03 주어가 you일 때 be
  able to의 의문문은 「Are + 주어 + able to + 동사원형 ~?」순으로 쓴다.
  04 허락을 나타낼 때 「주어 + may/can + 동사원형」 순으로 쓴다. 05 허락을
  구할 때 「May/Can + 주어 + 동사원형 ~?」 순으로 쓴다.

Self-Study

p. 61

A 01 can   02 are not able to   03 Can, play
  04 cannot   05 May, use

B 01 are, not, catch   02 may (= can), invite
  03 Can, write

C 01 Can you believe his story? (= Are you able to believe his
     story?)
  02 He cannot (= can't) ride a skateboard.
  03 I am able to keep the promise.
  04 May (= Can) I drink some water?

A 01 우리는 네 얼굴을 잘 볼 수 있다.
  02 그 소녀들은 그 나무에 오를 수 없다.
  03 너는 드럼을 칠 수 있니?
  04 그 소년은 연을 날릴 수 없다.
  05 화장실을 사용해도 될까요?

  01 능력이나 가능을 나타낼 때 can이나 be able to를 쓰는데, 주어가
  복수이므로 be동사는 are를 써야 한다. 02 주어가 복수이므로 are not able
  to가 온다. 03 능력이나 가능을 나타내는 의문문은 Can이 주어 앞에 오고,
  주어 뒤에 동사원형이 오거나, be동사가 주어 앞에 오고 주어 뒤에 「able to +
  동사원형」이 와야 한다. 04 can의 부정형은 cannot이다. 05 허락을 구할 때
  May가 주어 앞에 오고, 주어 뒤에 동사원형이 온다.

B 01 주어가 복수인 be able to의 부정문으로 are 뒤에 not을 쓰고, able to
  뒤에 동사원형을 쓴다. 02 허락을 나타내는 조동사 may (= can) 뒤에
  동사원형을 쓴다. 03 '~할 수 있니?'라고 물을 때 Can을 주어 앞에 쓰고, 주어
  뒤에 동사원형을 쓴다.

C 01 '~할 수 있니?'라고 물을 때 「Can + 주어 + 동사원형 ~?」이나 「be동사
  + 주어 + able to + 동사원형 ~?」을 쓰는데, 주어가 you이므로 be동사는
  Are를 쓴다. 02 can의 부정문은 「주어 + cannot + 동사원형」 순으로 쓴다.
  03 주어가 I일 때 be able to의 긍정문은 「주어 + am able to + 동사원형」
  순으로 쓴다. 04 허락을 구할 때 「May/Can + 주어 + 동사원형 ~?」 순으로
  쓴다.

Unit 08 의무, 충고의 조동사

Grammar Practice I

p. 63

A 01 must   02 clean   03 must not
  04 has to   05 have   06 don't have to
  07 should wash   08 be   09 Do
  10 must not   11 Does   12 shouldn't

B 01 우리는 식사 후에 이를 닦아야 한다.
  02 너는 밤에 피아노를 치면 안 된다.
  03 나는 새 자전거를 살 필요가 없다.
  04 그녀는 치과에 가야 한다. 또는 그녀는 치과에 가는 것이 좋겠다.
  05 저희는 휴대전화를 꺼야 하나요?

A 01 그는 일찍 일어나야 한다.
  02 나는 집을 청소해야 한다.
  03 너는 그것을 만지면 안 된다.
  04 Amy는 그녀의 여동생을 기다려야 한다.
  05 그녀는 약을 먹어야 하나요?
  06 우리는 선글라스를 쓸 필요가 없다.
  07 그녀는 손을 씻어야 한다.
  08 학생들은 학교에 지각하면 안 된다.
  09 그들은 저녁을 먹어야 하나요?
  10 우리는 여기에서 길을 건너면 안 된다.
  11 Kate는 서둘러야 하나요?
  12 너는 동물원에서 동물들에게 먹이를 주면 안 된다.

  01 조동사 must는 주어에 상관없이 같은 형태를 쓴다. 02 have to 뒤에는
  동사원형이 온다. 03 · 06 · 10 조동사 must의 부정형은 must not이고,
  have to의 부정형은 don't have to이다. 04 주어가 3인칭 단수일 때 has
  to가 온다. 05 have to의 의문문에서 주어가 3인칭 단수일 때 Does가 주어
  앞에 오고, 주어 뒤에는 have to가 온다. 07 · 08 조동사 should나 부정형
  should not 뒤에는 동사원형이 온다. 09 · 11 have to의 의문문으로 주어가
  복수일 때는 Do, 3인칭 단수일 때는 Does가 주어 앞에 온다. 12 should의
  부정형은 should not 또는 shouldn't이다.

B 01 · 02 must는 의무를 나타내는 조동사로 '~해야 한다'라고 해석하고, 부정형
  must not은 금지를 나타내어 '~해서는 안 된다'라고 해석한다. 03 · 05 have
  to의 부정형 don't have to는 '~할 필요가 없다'라고 해석하고, 의문문은
  '~해야 하나요?'라고 해석한다. 04 should는 의무나 충고를 나타내는
  조동사로 '~해야 한다, ~하는 게 좋다'라고 해석한다.

Grammar Practice II

p. 64

A 01 has, to   02 have, to   03 have, to
  04 must   05 must

B 01 do   02 don't have to
  03 must not (= mustn't)   04 work
  05 must not (= mustn't) swim   06 has
  07 have to   08 Do
  09 have to   10 should read
  11 sing   12 should not (= shouldn't)

A 01 그녀는 약간의 돈을 저축해야 한다.
  02 너는 그의 충고를 따라야 한다.
  03 운전자들은 빨간 불에서 멈추어야 한다.
  04 내 여동생은 병원에 가야 한다.
  05 우리는 매일 운동을 해야 한다.

  의무를 나타내는 조동사 must는 have to와 서로 바꾸어 쓸 수 있다. 01 · 02 ·
  03 have to는 주어가 3인칭 단수이면 has to를, 주어가 You 또는 복수이면
  have to를 쓰고 04 · 05 must는 주어에 상관없이 같은 형태를 쓴다.

B 01 그녀는 설거지를 해야 한다.
02 우리는 그들을 도울 필요가 없다.
03 그 아이는 땅콩을 먹으면 안 된다.
04 그는 오늘 일할 필요가 없다.
05 어린 아이들은 여기에서 수영하면 안 된다.
06 네 여동생은 피아노 수업을 받아야 한다.
07 그들은 학교에 가야 하나요?
08 제가 불을 꺼야 하나요?
09 Brown 씨는 새 차를 사야 하나요?
10 너는 신문을 읽어야 한다.
11 그녀는 밤에 노래를 부르면 안 된다.
12 너는 시간을 낭비하면 안 된다.

01 조동사 must 뒤에는 동사원형이 온다. 02 주어가 복수일 때 have to의
부정형은 don't have to이다. 03 must는 주어와 상관없이 같은 형태를 쓰고,
부정형은 must not (= mustn't)이다. 04 have to 뒤에 동사원형이 온다.
05 must의 부정형은 must not (= mustn't)이고, 뒤에 동사원형이 온다.
06 주어가 3인칭 단수이므로 has to를 쓴다. 07 Do로 시작하는 have to의
의문문으로 주어 뒤에 have to가 온다. 08 · 09 have to의 의문문으로 주어가
I일 때는 Do가, 주어가 3인칭 단수일 때는 Does가 주어 앞에 오고, 주어 뒤에는
have to가 온다. 10 조동사는 동사 앞에 온다. 11 조동사의 부정형 뒤에는
동사원형이 온다. 12 should의 부정형은 should not (= shouldn't)이다.

Prep Writing

A 01 doesn't, have, go
02 must, drink
03 must, not, tell
04 Does, have, to, feed
05 has, to, fix

B 01 He does not (= doesn't) have to wear a helmet.
02 I must not (= mustn't) change my plan.
03 You should not (= shouldn't) read the book.
04 Does Jane have to visit her grandparents?
05 Do the students have to take a test?

A 01 '~할 필요가 없다'는 don't have to를 쓰는데, 주어가 3인칭 단수이므로
doesn't have to를 쓰고 뒤에 동사원형을 쓴다. 02 '~해야 한다'는 must를
쓰고, 뒤에 동사원형을 쓴다. 03 '~해서는 안 된다'는 must not을 쓰고, 뒤에
동사원형을 쓴다. 04 주어가 3인칭 단수인 have to의 의문문으로 Does를
주어 앞에 쓰고, 주어 뒤에 「have to + 동사원형」을 쓴다. 05 '~해야 한다'는
have to를 써야 하는데, 주어가 3인칭 단수이므로 has to를 쓰고 뒤에
동사원형을 쓴다.

B 보기 너는 여기에 와야 한다. → 너는 여기에 올 필요가 없다.
01 그는 헬멧을 써야 한다. → 그는 헬멧을 쓸 필요가 없다.
02 나는 내 계획을 바꿔야 한다. → 나는 내 계획을 바꾸면 안 된다.
03 너는 그 책을 읽어야 한다. → 너는 그 책을 읽으면 안 된다.
04 Jane은 그녀의 조부모님을 방문해야 한다.
→ Jane은 그녀의 조부모님을 방문해야 하니?
05 그 학생들은 시험을 봐야 한다. → 그 학생들은 시험을 봐야 하니?

01 have to의 부정문은 주어가 3인칭 단수일 때 does not (= doesn't) have
to를 쓰고, 뒤에 동사원형을 쓴다. 02 · 03 must, should의 부정문은 must,
should 뒤에 not을 쓰는데, 줄여서 mustn't, shouldn't로 쓸 수 있다. 04 · 05
have to의 의문문은 주어가 3인칭 단수일 때 Does를, 주어가 복수일 때 Do를
주어 앞에 쓰고, 주어 뒤에 have to를 쓴다.

Sentence Writing

A 01 My brother doesn't have to wake up early.
02 You should listen to your mother.
03 We must not break the promise.
04 My friend has to catch the last train.

B 01 We should not waste energy.
02 You must not make any noise.
03 He doesn't have to finish the work today.
04 Do I have to tell the truth?
05 Students must follow the rules at school.

A 01 have to의 부정문으로 주어가 3인칭 단수일 때 「주어 + doesn't have
to + 동사원형」 순으로 쓴다. 02 should의 긍정문으로 「주어 + should
+ 동사원형」 순으로 쓴다. 03 must의 부정문으로 「주어 + must not +
동사원형」 순으로 쓴다. 04 have to의 긍정문으로 주어가 3인칭 단수일 때
「주어 + has to + 동사원형」 순으로 쓴다.

B 01 · 02 '~해서는 안 된다'는 금지를 나타낼 때 「주어 + should not/must not
+ 동사원형」 순으로 쓴다. 03 '~할 필요가 없다'는 don't have to를 쓰는데,
주어가 3인칭 단수이므로 「주어 + doesn't have to + 동사원형」 순으로 쓴다.
04 주어가 I인 have to의 의문문으로 「Do + 주어 + have to + 동사원형
~?」 순으로 쓴다. 05 의무를 나타내는 must의 긍정문으로 「주어 + must +
동사원형」 순으로 쓴다.

Self-Study

A 01 must stay
02 don't have to
03 have to
04 be
05 should not

B 01 Does, have, write
02 should, not, forget
03 don't, have, to

C 01 We have to save water.
02 You should not shout in the library.
03 They don't have to return the book.
04 Does he have to buy his train ticket?

A 01 그는 이번 주말에 집에 머물러야 한다.
02 우리는 경찰을 부를 필요가 없다.
03 너의 아버지는 안경을 쓰셔야 하니?
04 너는 다음 월요일에 결석하면 안 된다.
05 사람들은 빨간 불에 길을 건너면 안 된다.

01 조동사 뒤에는 동사원형이 온다. 02 have to의 부정문은 주어가 복수일 때
don't have to를 쓴다. 03 have to의 의문문으로 주어 뒤에 have to가 온다.
04 must not 뒤에는 동사원형이 온다. 05 should의 부정형은 should 뒤에
not이 온다.

B 01 주어가 3인칭 단수인 have to의 의문문으로 Does을 주어 앞에 쓰고, 주어
뒤에 「have to + 동사원형」을 쓴다. 02 금지를 나타낼 때 should not을 쓰고,
뒤에 동사원형을 쓴다. 03 '~할 필요가 없다'는 don't have to를 쓰는데,
주어가 You이므로 don't have to를 쓰고 뒤에 동사원형을 쓴다

C 01 주어가 복수인 have to의 긍정문으로 「주어 + have to + 동사원형」
순으로 쓴다. 02 금지를 나타내는 should의 부정문으로 「주어 + should
not + 동사원형」 순으로 쓴다. 03 '~할 필요가 없다'는 don't have to를
쓰는데, 주어가 복수이므로 「주어 + don't have to + 동사원형」 순으로 쓴다.
04 주어가 3인칭 단수인 have to의 의문문으로 「Does + 주어 + have to +
동사원형 ~?」 순으로 쓴다.

정답 및 해설 **17**

Actual Test

pp. 68–70

01 ② 02 ④ 03 ④ 04 ③ 05 ① 06 ② 07 ④ 08 ④
09 ④ 10 ③ 11 ① 12 ⑤ 13 ③
14 doesn't, have, call   15 aren't, able, see
16 Can Sally take care of her sister? (= Is Sally able to take care of her sister?)
17 You must not (= mustn't) fight with your friends.
18 must, take, has   19 isn't, play, can, watch
20 Does, have, clean, can, play

---

01 너의 어머니는 차를 운전하실 수 있니?
주어가 3인칭 단수인 be able to의 의문문으로 be동사 Is가 주어 앞에 온다.

02 오늘 비가 오지 않을 것이다. 너는 우산을 가져올 필요가 없다.
의미상 '~할 필요가 없다'는 don't/doesn't have to가 와야 하는데, 주어가 You이므로 don't have to가 온다.

03 Jackson은 숙제를 끝낼 수 있다/끝낼 수 있다/끝낼 수 없다/끝내야 한다.
주어가 3인칭 단수이므로 have to는 올 수 없다.

04 Emily는 스페인어를 말할 수 없다.
능력이나 가능을 나타내는 can의 부정형 can't는 주어가 3인칭 단수일 때 isn't able to로 바꾸어 쓸 수 있다.

05 우리는 그 비밀을 지켜야 한다.
의무를 나타내는 must는 주어가 We일 때 have to로 바꾸어 쓸 수 있다.

06 A: TV를 봐도 될까요?   B: 안 돼. 너는 영어를 공부해야 해.
허락을 구할 때 조동사 May나 Can을 주어 앞에 쓰고, 의무를 나타낼 때 should를 쓴다.

07 A: 나는 내일 일찍 일어나야 한다.
B: 너는 밤늦게까지 깨어 있으면 안 된다.
의무를 나타낼 때 조동사 must를 쓰고, '~해서는 안 된다'는 금지를 나타낼 때 should not이나 must not을 쓸 수 있다.

08 ① 그녀는 플루트를 연주할 수 있다.
② 우리는 제시간에 일을 끝낼 수 있다.
③ 그는 자전거를 탈 수 있니?
④ 네 연필을 써도 될까?
⑤ 나는 경주에서 이길 수 있다.
①②③⑤의 can은 '~할 수 있다'는 의미로 능력이나 가능을 나타내고 있고 ④의 can은 '~해도 된다'는 의미로 허락을 나타내고 있다.

09 ① Jane은 피자를 만들 수 있니?
② 그는 새 신발을 살 필요가 없다.
③ 그는 스케이트보드를 탈 수 있니?
④ 그녀는 방을 청소해야 한다.
⑤ 너는 남동생을 때리면 안 된다.
① Does → Is ② has to → have to ③ Cans → Can ⑤ don't must → must not

10 ① 그녀는 그 시험에 통과할 수 있다. → 그녀는 그 시험에 통과할 수 없다.
② 그들은 바이올린을 연주할 수 있다.
   → 그들은 바이올린을 연주할 수 있니?
③ 우리는 질문을 해도 된다. → 우리가 질문을 해도 될까요?
④ 그는 저녁 식사를 준비해야 한다.
   → 그는 저녁 식사를 준비해야 하니?
⑤ 나는 문을 열어야 한다. → 나는 문을 열면 안 된다.
① can not → cannot ② Do → Are ④ has to → have to ⑤ must open not → must not open

11 ① can → am
능력이나 가능을 나타내는 be able to의 긍정문으로 주어가 I일 때 be동사 am을 써야 한다.

12 ⑤ touched → touch
should의 부정형 should not 뒤에는 동사원형이 와야 한다.

13 ③ has to → have to
주어가 3인칭 단수인 have to의 의문문으로 주어 뒤에 have to가 와야 한다.

14 '~할 필요가 없다'는 don't have to를 쓰는데, 주어가 3인칭 단수이므로 doesn't have to를 쓰고 뒤에 동사원형을 쓴다.

15 be able to의 부정문으로 주어가 We일 때 aren't able to를 쓰고 뒤에 동사원형을 쓴다.

16 능력이나 가능을 물을 때 「Can + 주어 + 동사원형 ~?」 또는 「be동사 + 주어 + able to + 동사원형 ~?」을 쓰는데, 주어가 3인칭 단수이므로 be동사는 Is를 쓴다.

17 '~해서는 안 된다'는 금지를 나타내는 must의 부정문으로 「주어 + must not (= mustn't) + 동사원형」 순으로 쓴다.

18 James는 화요일에 영어 시험을 봐야 한다. 그래서 그는 월요일에 영어를 공부해야 한다.
의무를 나타낼 때 must 뒤에 동사원형을 쓰고, 주어가 3인칭 단수인 의무를 나타낼 때 has to를 쓴다.

19 James는 월요일에 게임을 할 수 없다. 하지만 그는 화요일 시험이 끝난 후에 TV를 볼 수 있다.
주어가 3인칭 단수인 be able to의 부정문은 isn't able to이고, 뒤에 동사원형을 쓴다. 능력이나 가능을 나타낼 때 can을 쓰고, 뒤에 동사원형을 쓴다.

20 James는 토요일에 집을 청소해야 하니? 응, 하지만 그는 친구도 만날 수 있어.
주어가 3인칭 단수인 have to의 의문문으로 Does를 주어 앞에 쓰고, 주어 뒤에 「have to + 동사원형」을 쓴다. 능력이나 가능을 나타낼 때 can을 쓰고, 뒤에 동사원형을 쓴다.

Unit 09 형용사의 역할과 쓰임

Grammar Practice I p. 73

A
01 <u>wonderful</u>, 우리는 한국에서 좋은 시간을 보냈다.
02 <u>fast</u>, 그 빠른 주자가 경주에서 이길 것이다.
03 <u>delicious</u>, 이 빵은 매우 맛있는 냄새가 난다.
04 <u>scary</u>, 나는 두 편의 무서운 영화를 보았다.
05 <u>difficult</u>, 그 질문은 매우 어려웠다.
06 <u>new</u>, <u>expensive</u>, 그의 새 휴대전화는 비싸 보였다.

B
01 lucky	02 fast learner	03 bad
04 interesting	05 beautiful voice	06 bad habits
07 the heavy	08 two warm	09 his new jacket
10 an easy question		

A 01·02·04 형용사 wonderful, fast, scary는 명사 앞에 와서 명사를 꾸며주고 있다. 03·05 형용사 delicious, difficult는 동사 smells, was 뒤에 와서 주어를 보충 설명해주고 있다. 06 형용사 new는 명사 앞에 와서 명사를 꾸며주고 있고, 형용사 expensive는 동사 looked 뒤에 와서 주어를 보충 설명해주고 있다.

B 01 그는 운이 좋은 사람이었다.
02 너는 빨리 배우는 학생이니?
03 그 수프는 매우 맛이 없다.
04 네 계획은 흥미롭게 들린다.
05 그녀는 아름다운 목소리를 가지고 있다.
06 그는 나쁜 습관이 전혀 없다.
07 그 무거운 상자 안에 무엇이 있니?
08 나는 두 벌의 따뜻한 장갑을 살 것이다.
09 너는 그의 새 재킷을 보았니?
10 이것은 쉬운 질문이었다.

01 명사 앞에 와서 명사를 꾸며주는 형용사가 와야 한다. 02·05·06 형용사가 명사를 꾸며줄 때 형용사는 명사 앞에 온다. 03·04 감각동사 뒤에 와서 주어를 보충 설명해주는 형용사가 와야 한다. 07·08·09·10 a/an/the나 수를 나타내는 말, 소유격 등은 「형용사 + 명사」 앞에 온다.

Grammar Practice II p. 74

A
01 safe place	02 important	03 bad
04 honest	05 big family	06 Your new hat
07 great	08 many beautiful countries	
09 good	10 lovely	

B
01 I heard the surprising news.
02 This is my new backpack.
03 Paul lost his expensive watch.
04 He is reading a sad novel.
05 The farmer has three strong oxen.

A 01 그것은 안전한 장소가 아니다.
02 그것들은 매우 중요한 계획들이다.
03 그것은 맛이 좋지 않았다.
04 그는 정직한 사람이었다.
05 그녀는 식구가 많다.
06 네 새 모자는 너무 커 보인다.
07 그 커피는 냄새가 아주 좋다.
08 나는 많은 아름다운 나라들을 방문했다.

09 그의 새 컴퓨터는 매우 좋다.
10 너는 그 사랑스러운 소녀를 아니?

01·05 형용사가 명사를 꾸며줄 때 형용사는 명사 앞에 와야 한다. 02·04·10 명사 앞에는 명사나 부사가 아닌 형용사가 와서 명사를 꾸며준다. 03·07·09 감각동사나 be동사 뒤에는 부사가 아닌 형용사가 와서 주어를 보충 설명해준다. 06 소유격 your는 「형용사 + 명사」 앞에 와야 한다. 08 수를 나타내는 many는 「형용사 + 명사」 앞에 와야 한다.

B 보기 나는 오렌지 하나를 먹었다. 그것은 달콤했다.
→ 나는 달콤한 오렌지 하나를 먹었다.
01 나는 그 뉴스를 들었다. 그것을 놀라웠다.
→ 나는 그 놀라운 뉴스를 들었다.
02 이것은 나의 배낭이다. 그것은 새것이다.
→ 이것은 나의 새 배낭이다.
03 Paul은 그의 시계를 잃어버렸다. 그것은 비쌌다.
→ Paul은 그의 비싼 시계를 잃어버렸다.
04 그는 소설을 읽고 있다. 그것은 슬프다.
→ 그는 슬픈 소설을 읽고 있다.
05 그 농부는 세 마리의 황소를 가지고 있다. 그것들은 힘이 세다.
→ 그 농부는 세 마리의 힘이 센 황소를 가지고 있다.

두 문장을 한 문장으로 바꿀 때 형용사를 명사 앞에 쓰는데, a/an/the, 수를 나타내는 말, 소유격 등은 「형용사 + 명사」 앞에 쓴다. 01 형용사 surprising을 the 뒤에, 명사 news 앞에 쓴다. 02 형용사 new를 소유격 my 뒤에, 명사 backpack 앞에 쓴다. 03 형용사 expensive를 소유격 his 뒤에, 명사 watch 앞에 쓴다. 04 형용사 sad를 a 뒤에, 명사 novel 앞에 쓴다. 05 형용사 strong을 three 뒤에, 명사 oxen 앞에 쓴다.

Prep Writing p. 75

A
01 brave, firefighter	02 easy, questions	
03 tastes, sweet, sour	04 looked, angry	
05 high, beautiful, building		

B
01 The chicken soup doesn't smell good.
02 We saw a strange man.
03 I didn't remember her round bag.
04 They are helping two poor people.
05 We felt sad at the news.

A 01·02·05 형용사가 명사를 꾸며줄 때 형용사를 명사 앞에 쓴다. 03·04 형용사는 감각동사 뒤에 와서 주어를 보충 설명해주므로 감각동사 뒤에 형용사를 쓴다.

B 01 그 닭고기 수프는 냄새가 좋지 않다.
02 우리는 이상한 남자를 보았다.
03 나는 그녀의 둥근 가방을 기억하지 못했다.
04 그들은 두 명의 가난한 사람들을 돕고 있다.
05 우리는 그 소식에 슬픔을 느꼈다.

01·05 형용사는 감각 동사 뒤에 와서 주어를 보충 설명해주므로 smell, felt 뒤에 형용사를 쓴다. 02·03·04 형용사는 명사 앞에 와서 명사를 꾸며주는 데, a/an/the나 수를 나타내는 말, 소유격 등은 「형용사 + 명사」 앞에 온다. 따라서 괄호 안의 형용사를 a, her, two와 명사 사이에 쓴다.

A
01 The rich man is living in a big house.
02 Their new idea was very creative.
03 The high mountain looks dangerous.
04 We saw many wild animals in the forest.

B
01 His long story sounded boring.
02 The final exam was not easy.
03 This old cheese tastes sour.
04 They built a strong and beautiful house.
05 She speaks two different languages.

A 01 · 04 형용사가 명사를 꾸며줄 때는 명사 앞에 형용사가 오는데, a, the, 수를 나타내는 말 many는 「형용사 + 명사」 앞에 온다. 02 · 03 형용사가 명사를 꾸며줄 때는 명사 앞에 오고, the나 소유격 their는 「형용사 + 명사」 앞에 온다. 형용사가 주어를 보충 설명할 때는 be동사나 감각동사 뒤에 온다.

B 01 · 02 · 03 형용사가 주어를 보충 설명할 때는 be동사나 감각동사 뒤에 형용사를 쓴다. 한편 형용사가 명사를 꾸며줄 때는 명사 앞에 형용사를 쓰고, a/an/the나 수를 나타내는 말, 소유격 등은 「형용사 + 명사」 앞에 쓴다. 04 · 05 형용사가 명사를 꾸며줄 때는 명사 앞에 형용사를 쓰는데, a/an/the나 수를 나타내는 말, 소유격 등은 「형용사 + 명사」 앞에 쓴다.

Self-Study   p. 77

A
01 handsome boy   02 sad   03 your old
04 sleepy   05 two small

B
01 popular, tall   02 yellow, smell, good
03 young, scary

C
01 We have two serious problems.
02 Her new plan sounded stupid.
03 The round box was empty.
04 The small cat looks lovely.

A
01 누가 그 잘생긴 소년을 아니?
02 그녀의 새 노래는 슬프게 들린다.
03 너는 옛 친구들을 그리워하니?
04 그 작은 소녀는 졸려 보인다.
05 그것은 큰 코와 두 개의 작은 눈을 가지고 있다.

01 형용사는 꾸며주는 명사 앞에 온다. 02 · 04 감각동사 뒤에 와서 주어를 보충 설명해주는 형용사가 와야 한다. 03 · 05 소유격이나 수를 나타내는 말은 「형용사 + 명사」 앞에 온다.

B 01 형용사가 명사를 꾸며줄 때는 명사 앞에 쓰고, 형용사가 주어를 보충 설명해 줄 때는 be동사 뒤에 쓴다. 02 형용사가 명사를 꾸며줄 때는 명사 앞에 쓰고, 형용사가 주어를 보충 설명해 줄 때는 감각동사 뒤에 쓴다. 03 형용사가 명사를 꾸며줄 때는 명사 앞에 쓴다.

C 01 형용사가 명사를 꾸며줄 때는 명사 앞에 쓰고, a/an/the나 수를 나타내는 말, 소유격 등은 「형용사 + 명사」 앞에 쓴다. 02 · 03 · 04 형용사가 명사를 꾸며줄 때는 명사 앞에 쓰고, 형용사가 주어를 보충 설명할 때는 be동사나 감각동사 뒤에 쓴다.

Unit 10 수량형용사

A
01 Many	02 much	03 A lot of	04 many
05 students	06 boxes	07 a lot of	08 ice cream
09 lots of	10 a lot of	11 much	12 many

B
| 01 any | 02 some | 03 Some | 04 some |
| 05 any, some | 06 any, any | 07 some, some | |

A
01 많은 사람들이 그 박물관에 있었다.
02 그들은 많은 시간을 낭비하지 않았다.
03 많은 눈이 지붕 위에 있다.
04 너는 숲에서 많은 사슴을 보았니?
05 많은 학생들이 그 문제를 풀었다.
06 그들은 많은 상자들이 필요하니?
07 그녀는 많은 재미있는 이야기들을 안다.
08 너는 많은 아이스크림을 샀니?
09 그녀는 많은 빨간 토마토를 먹었다.
10 우리는 많은 신선한 물이 필요하다.
11 너는 많은 돈을 모았니?
12 그 피아니스트는 많은 아름다운 노래들을 연주했다.

01 · 04 · 12 셀 수 있는 명사 앞에는 many가 온다. 02 · 11 셀 수 없는 명사 앞에는 much가 온다. 03 · 10 셀 수 없는 명사 snow, water는 much나 a lot of와 함께 쓴다. 05 · 06 many 뒤에는 셀 수 있는 명사의 복수형이 온다. 07 · 09 셀 수 있는 명사 stories, tomatoes는 many나 a lot of, lots of와 함께 쓴다. 08 much 뒤에는 셀 수 없는 명사가 온다.

B
01 나는 어젯밤에 차가운 음료를 전혀 마시지 않았다.
02 그 과학자는 약간의 중요한 정보를 얻었다.
03 몇 명의 학생들이 축구를 하고 있다.
04 핫도그를 좀 드실래요?
05 A: 너는 좋은 생각이 좀 있니?   B: 응, 나는 몇 가지 좋은 생각이 있어.
06 A: 너의 어머니는 설탕을 조금 사셨니?
    B: 아니, 전혀 사지 않으셨어.
07 A: 따뜻한 코코아를 좀 마실래요?   B: 네, 조금 마시고 싶어요.

01 부정문에는 any를 쓴다. 02 · 03 긍정문에는 some을 쓴다. 04 권유를 나타내는 의문문에는 some을 쓴다. 05 의문문에는 any, 긍정문에는 some을 쓴다. 06 의문문이나 부정문에는 any를 쓴다. 07 권유를 나타내는 의문문이나 긍정문에는 some을 쓴다.

A
| 01 many | 02 much | 03 much | 04 many |
| 05 much | 06 much | 07 Much | 08 Many |

B
01 John drinks some orange juice.
02 We have some time tonight.
03 The baker doesn't use any sugar.
04 The students don't write any letters.
05 Do you read any magazines?
06 Does she need any useful advice?

A
01 그는 지난달에 많은 영화를 보았다.
02 우리는 오늘 숙제가 많지 않다.
03 그녀는 돈을 많이 버니?
04 나는 많은 콘서트 표를 샀다.
05 그들은 많은 도움을 원하지 않았다.
06 이 프로젝트는 많은 시간이 걸리지 않을 것이다.
07 많은 설탕은 네 건강에 좋지 않다.
08 많은 쥐들이 천장에 있었다.

a lot of (= lots of)는 셀 수 있는 명사와 셀 수 없는 명사 앞에 모두 쓸 수 있는데 many나 much로 바꾸어 쓸 수 있다. **01 · 04 · 08** 셀 수 있는 명사 앞에서는 many로 바꾸고 **02 · 03 · 05 · 06 · 07** 셀 수 없는 명사 앞에서는 much로 바꾼다.

B 보기 나는 당근을 전혀 가지고 있지 않다.
01 John은 오렌지 주스를 조금 마신다.
02 우리는 오늘 밤 시간이 조금 있다.
03 그 제빵사는 설탕을 전혀 사용하지 않는다.
04 그 학생들은 편지를 전혀 쓰지 않는다.
05 너는 약간의 잡지를 읽니?
06 그녀는 약간의 유용한 충고가 필요하니?

01 · 02 긍정문은 명사 앞에 some을 쓴다. **03 · 04** 부정문은 명사 앞에 any를 쓴다. **05 · 06** 의문문은 명사 앞에 any를 쓴다.

Prep Writing
p. 81

A **01** some, water | **02** any, English
03 any, movies | **04** Many, people
05 much, lot, time

B **01** He spent some time with his friend yesterday.
02 My father didn't drink much (= a lot of/lots of) coffee last night.
03 Did they take any pictures?
04 Many (= A lot of/Lots of) beautiful pictures were on the wall.
05 Would you like some strawberries?

A **01** 긍정문으로 some을 명사 water 앞에 쓴다. **02** 의문문으로 any를 명사 English 앞에 쓴다. **03** 부정문으로 any를 명사 앞에 쓰는데, any 뒤에는 셀 수 있는 명사의 복수형이 온다. **04** 셀 수 있는 명사의 복수형 people 앞에 Many를 쓴다. **05** 셀 수 없는 명사 work 앞에 much를 쓰고, 셀 수 없는 명사 time 앞에 a lot of를 쓴다.

B **01** 그는 어제 친구와 약간의 시간을 보냈다.
02 나의 아버지는 어젯밤에 커피를 많이 마시지 않으셨다.
03 그들은 사진을 좀 찍었니?
04 많은 아름다운 사진들이 벽에 있었다.
05 딸기를 좀 드실래요?

01 긍정문에는 some을 써야 한다. **02** 셀 수 없는 명사 앞에는 much나 a lot of/lots of를 쓴다. **03** 의문문에는 any를 써야 한다. **04** 셀 수 있는 명사의 복수형 앞에는 Many나 A lot of/Lots of를 쓴다. **05** 권유를 나타내는 의문문에는 some을 써야 한다.

Sentence Writing
p.82

A **01** The old man didn't have any money.
02 Would you like some chocolate?
03 Did he get a lot of helpful advice?
04 She has many plans for the party.

B **01** We don't have many (= a lot of/lots of) classes on Friday.
02 He didn't eat any food yesterday.
03 Does she have much (= a lot of/lots of) homework today?
04 His report had some mistakes.
05 Do you have any questions?

A **01** 부정문으로 any가 명사 money 앞에 온다. **02** 권유를 나타내는 의문문으로 some이 명사 chocolate 앞에 온다. **03** a lot of가 셀 수 없는 명사 helpful advice 앞에 온다. **04** many가 셀 수 있는 명사의 복수형 plans 앞에 온다.

B **01** 셀 수 있는 명사의 복수형 앞에는 many나 a lot of/lots of를 쓰고 **03** 셀 수 없는 명사 앞에는 much나 a lot of/lots of를 쓴다. **02 · 05** 부정문이나 의문문에는 any를 명사 앞에 쓰고 **04** 긍정문에는 some을 명사 앞에 쓴다.

Self-Study
p. 83

A **01** some | **02** a lot of | **03** salad
04 any | **05** many

B **01** much, time | **02** some, hot, soup | **03** any, many

C **01** He doesn't make any mistakes.
02 She plants some vegetables every year.
03 I saw many (= a lot of/lots of) stars last night.
04 Did they borrow much (= a lot of/lots of) money?

A **01** 그 어린 소년은 쿠키를 조금 먹고 있다.
02 너는 사촌이 많니?
03 나는 샐러드를 많이 먹지 않았다.
04 그녀는 커피에 약간의 설탕을 넣니?
05 그 프로젝트에는 많은 문제들이 있을 것이다.

01 긍정문에는 some을 쓴다. **02** 셀 수 있는 명사의 복수형 cousins 앞에는 a lot of를 쓴다. **03** much는 셀 수 없는 명사 앞에 온다. **04** 의문문에는 any를 쓴다. **05** 긍정문이면서 뒤에 셀 수 있는 명사의 복수형이 오고 있으므로 many가 온다.

B **01** 셀 수 없는 명사 time 앞에 much를 쓴다. **02** 권유를 나타내는 의문문으로 hot soup 앞에 some을 쓴다. **03** 의문문에는 any를 쓰고, 셀 수 있는 명사의 복수형 앞에는 many를 쓴다.

C **01** 부정문으로 any를 셀 수 있는 명사의 복수형 mistakes 앞에 쓴다.
02 긍정문이므로 some을 셀 수 있는 명사의 복수형 vegetables 앞에 쓴다.
03 셀 수 있는 명사의 복수형 stars 앞에 many나 a lot of/lots of를 쓴다.
04 셀 수 없는 명사 money 앞에 much나 a lot of/lots of를 쓴다.

Actual Test
pp. 84-86

01 ③ **02** ④ **03** ④ **04** ① **05** ② **06** ① **07** ④ **08** ③
09 ④ **10** ① **11** ⑤ **12** ② **13** ④
14 The police officer looked honest.
15 She doesn't have many toys in her room.
16 She doesn't eat any spicy food.
17 This medicine tastes bitter.
18 The students asked many (= a lot of/lots of) difficult questions.
19 some, some, any **20** some, any **21** any, some, any

01 나는 어젯밤에 영화를 보았다. 그것은 지루했다/아주 좋았다/훌륭했다/슬펐다.
be동사 뒤에서 주어를 보충 설명해주는 형용사가 들어가야 하므로 부사 greatly는 올 수 없다.

02 그것은 맛이 좋다/냄새가 좋다/좋아 보인다/좋게 들린다.
감각동사 taste, smell, look, sound 뒤에 형용사가 와서 주어를 보충 설명해준다. 일반동사 watch 뒤에는 명사나 대명사가 와야 한다.

03 그녀는 많은 연필을 가지고 있니?
many 뒤에는 셀 수 있는 명사의 복수형인 pencils가 올 수 있다.

04 그는 종이가 많이 필요하지 않았다.
much 뒤에는 셀 수 없는 명사인 paper가 올 수 있다.

05 **A**: 너는 버터를 조금 가지고 있니? **B**: 아니, 가지고 있지 않아.
　　의문문이면서 셀 수 없는 명사 butter가 뒤에 있으므로 any가 온다.

06 **A**: 쿠키를 좀 드실래요? **B**: 네, 주세요.
　　권유를 나타내는 의문문에는 some을 쓴다.

07 · 몇 명의 학생들은 야채를 좋아한다.
　　· 너는 꿈이 있니?
　　· 그녀는 고기를 전혀 먹지 않았다.
　　긍정문에는 some, 의문문과 부정문에는 any를 쓴다.

08 · 나는 여동생과 많은 시간을 보낸다.
　　· 그들은 많은 유명한 배우들을 보지 못했다.
　　· 그는 오늘 일이 많니?
　　a lot of는 긍정문, 부정문, 의문문에서 모두 쓸 수 있고, 셀 수 있는 명사와 셀 수 없는 명사 앞에 모두 쓸 수 있다.

09 ① Anderson 씨는 좋은 의사였다.
　　② 그녀는 우유를 조금 가지고 있니?
　　③ 나는 오늘 기분이 이상하다.
　　④ 피자 위에 치즈가 많이 있다.
　　⑤ 그는 많은 돈을 벌지 못한다.
　　① a doctor nice → a nice doctor ② some milk → any milk
　　③ strangely → strange ⑤ many money → much money

10 ① 그 소파는 매우 푹신해 보인다.
　　② 사과를 좀 드실래요?
　　③ 많은 사람들이 그녀의 아름다운 목소리를 좋아한다.
　　④ 나는 런던에서 약간의 시간을 보냈다.
　　⑤ 그녀는 약간의 정보를 원하니?
　　① softly → soft
　　감각동사 looks 뒤에 주어를 보충 설명해주는 형용사가 와야 한다.

11 ⑤ hunger → hungry
　　감각동사 feel 뒤에는 형용사가 와야 한다.

12 ② any → some
　　권유를 나타내는 의문문에는 some을 쓴다.

13 ① cute two cats → two cute cats ② many → much
　　③ much → many ⑤ any → some

14 그 경찰은 정직해 보였다.
　　감각동사 looked 뒤에는 형용사가 와서 주어를 보충 설명해준다.

15 그녀는 방에 장난감이 많지 않다.
　　셀 수 있는 명사의 복수형 toys 앞에는 many가 와야 한다.

16 부정문이므로 any를 명사 food 앞에 쓰는데, 수량형용사는 명사를 꾸며주는 형용사 spicy 앞에 와서 any spicy food 순으로 쓴다.

17 감각동사 tastes 뒤에 형용사 bitter를 쓴다.

18 셀 수 있는 명사의 복수형 questions 앞에는 many나 a lot of/lots of를 쓰고, 명사를 꾸며주는 형용사는 명사 앞에 쓴다.

19 Susan은 약간의 샌드위치와 샐러드를 먹었다. 그녀는 케이크를 전혀 먹지 않았다.

20 Amy는 약간의 스파게티를 먹었다. 그녀는 약간의 토마토를 먹었니? 아니, 먹지 않았어.

21 Kevin은 피자를 조금 먹었니? 응, 그는 약간의 핫도그도 먹었어. 그는 야채는 전혀 먹지 않았어.
　　19 · 20 · 21 긍정문에는 some을 쓰고, 의문문이나 부정문에는 any를 쓴다.

Unit 11 부사의 역할과 형태

Grammar Practice I p. 89

A	01 well	02 early	03 Kindly	04 Luckily
	05 strangely	06 careful	07 late	08 different
	09 really	10 lovely	11 fast	12 heavily

B	01 well	02 Fortunately	03 quietly
	04 angrily	05 loudly	06 Luckily
	07 hard	08 high	09 easily
	10 Surprisingly		

A 01 나는 어젯밤에 잘 잤다.
　　02 너의 어머니는 오늘 아침에 일찍 일어나셨니?
　　03 친절하게도, 그는 우리를 도와주었다.
　　04 운 좋게도, 그 소방관은 그 소녀를 구했다.
　　05 그는 어제 정말로 이상하게 행동했다.
　　06 나의 아버지는 조심스러운 운전자이시다.
　　07 그들은 어젯밤에 집에 늦게 돌아왔다.
　　08 너는 오늘 매우 달라 보였다.
　　09 우리는 어제 정말로 바빴다.
　　10 그녀의 아기는 매우 사랑스럽다.
　　11 돌고래는 매우 빨리 수영을 할 수 있다.
　　12 작년에 눈이 많이 왔다.

01 · 02 · 05 · 07 · 11 · 12 동사 뒤에 와서 동사를 꾸며주고 있으므로 부사가 와야 한다. good의 부사는 well이고, early, late, fast는 형용사와 부사의 형태가 같고, strange는 -ly를 붙여 부사를 만들고, heavy는 y를 i로 바꾸고 -ly를 붙인다. **03 · 04** 문장 맨 앞에 와서 문장 전체를 꾸며주고 있으므로 부사가 와야 한다. kind는 -ly를 붙여 부사를 만들고, lucky는 y를 i로 바꾸고 -ly를 붙인다. **06** 명사 앞에 와서 명사를 꾸며주고 있으므로 형용사가 와야 한다. **08 · 10** 동사 뒤에 와서 주어를 보충 설명해주고 있으므로 형용사가 와야 한다. 명사 love에 -ly를 붙이면 형용사가 된다. **09** 형용사 앞에 와서 형용사를 꾸며주고 있으므로 부사가 와야 한다.

B 01 그 곰은 서커스에서 춤을 매우 잘 추었다.
　　02 다행스럽게도, 우리는 결승전에서 이겼다.
　　03 그 여우는 아주 조용하게 움직였다.
　　04 그는 나를 화난 표정으로 보았다.
　　05 그들은 매우 크게 소리치고 있다.
　　06 운 좋게도, 그는 머리를 다치지 않았다.
　　07 네 여동생은 왜 열심히 공부하니?
　　08 그 제트 비행기는 매우 높이 날고 있다.
　　09 그녀는 그 어려운 문제를 쉽게 풀었다.
　　10 놀랍게도, 그는 그 시험에 통과했다.

빈칸에는 모두 부사가 들어가야 하는데 **01** good은 불규칙하게 변하는 형용사로 부사는 well이다. **02 · 03 · 05 · 10** 형용사에 -ly를 붙여 부사를 만든다. **04 · 06 · 09** '자음 + -y'로 끝나는 형용사는 y를 i로 바꾸고 -ly를 붙여 부사를 만든다. **07 · 08** hard, high는 형용사와 부사의 형태가 같다.

Grammar Practice II p. 90

A	01 quickly	02 carefully	03 loudly
	04 well	05 badly	06 hard
	07 fast	08 wisely	

B	01 good → well	02 happy → happily
	03 fastly → fast	04 greatly → great

05 Sudden → Suddenly	**06** lately → late
07 seriously → serious	**08** hardly → hard
09 well → good	**10** Sad → Sadly
11 beautifully → beautiful	**12** highly → high

A 보기 그것은 느린 동물이다. → 그것은 느리게 움직인다.
01 그 소년은 빨리 배우는 사람이다. → 그 소년은 빨리 배운다.
02 내 삼촌은 조심스러운 운전자이다. → 내 삼촌은 조심스럽게 운전하신다.
03 너는 큰 소리로 말하는 사람이다. → 너는 크게 말한다.
04 그녀는 훌륭한 피아니스트이다. → 그녀는 피아노를 잘 친다.
05 우리는 음치들이다. → 우리는 노래를 못한다.
06 그들은 열심히 일하는 사람들이다. → 그들은 열심히 일한다.
07 Sophia는 말을 빨리하는 사람이다. → Sophia는 말을 빨리한다.
08 그 왕은 현명한 통치자이다. → 그 왕은 현명하게 통치한다.

「be동사 + 형용사 + 명사」는 「일반동사 + 부사」로 바꾸어 같은 의미의 문장을 만들 수 있다. **01 · 02 · 03 · 05 · 08** 형용사에 -ly를 붙여 부사를 만든다. **04** good은 불규칙하게 변하는 형용사로 부사는 well이다. **06 · 07** hard, fast는 형용사와 부사의 형태가 같다.

B **01** Mary는 중국어를 매우 잘한다.
02 그 왕자는 그의 궁전에서 행복하게 살았다.
03 그는 음식을 너무 빨리 먹는다.
04 이 케이크는 아주 맛이 좋다.
05 갑자기, 그녀는 울면서 뛰어나갔다.
06 나는 지난 토요일에 늦게 일어났다.
07 그 남자는 매우 심각해 보였다.
08 우리는 수학을 열심히 공부해야 한다.
09 Brown 씨는 매우 훌륭한 선생님이다.
10 슬프게도, 내 친구는 다음 달에 이사를 갈 것이다.
11 캐나다는 아름다운 나라이다.
12 너는 높이 뛸 수 있니?

01 · 02 동사 speaks, lived를 꾸며주고 있으므로 부사 well, happily가 와야 한다. **03 · 06 · 08 · 12** 동사를 꾸며주고 있으므로 부사가 와야 하는데, fast, late, hard, high는 형용사와 부사의 형태가 같다. **04 · 07** 감각동사 tastes, looked 뒤에 와서 주어를 보충 설명해주고 있으므로 형용사 great, serious가 와야 한다. **05 · 10** 문장 맨 앞에 와서 문장 전체를 꾸며주고 있으므로 부사 Suddenly, Sadly가 와야 한다. **09 · 11** 명사 앞에 와서 명사를 꾸며주고 있으므로 형용사 good, beautiful이 와야 한다.

Prep Writing
p. 91

A **01** brightly **02** loudly **03** heavily, slowly
04 Happily, safely **05** early, late

B **01** She drives a car very fast.
02 Happily, it is Children's Day today.
03 He explained it very clearly.
04 This question is really important.
05 Jane danced very beautifully at the party.

A **01 · 02 · 03** 동사 뒤에 와서 동사를 꾸며주는 부사를 쓴다. 부사는 대부분의 형용사에 -ly를 붙여 부사를 만드는데, '자음 + -y'로 끝나는 형용사 heavy는 y를 i로 바꾸고 -ly를 붙인다. **04** 문장 맨 앞에 와서 문장 전체를 꾸며주는 부사 Happily를 쓰고, 동사 뒤에 와서 동사를 꾸며주는 부사 safely를 쓴다. **05** 동사 뒤에 와서 동사를 꾸며주는 부사 early를 쓰고, be동사 뒤에 와서 주어를 보충 설명해주는 형용사 late를 쓴다.

B **01** 그녀는 차를 매우 빠르게 운전한다.
02 기쁘게도, 오늘은 어린이날이다.
03 그는 그것을 매우 명확하게 설명했다.
04 이 문제는 정말 중요하다.

05 Jane은 파티에서 매우 아름답게 춤을 추었다.

01 · 05 동사를 꾸며주면서 다른 부사 very의 꾸밈을 받고 있으므로 very 뒤에 쓴다. **02** 문장 전체를 꾸며주고 있으므로 문장 맨 앞에 쓴다. **03** 다른 부사를 꾸며주고 있으므로 꾸며주는 부사 clearly 앞에 쓴다. **04** 형용사를 꾸며주고 있으므로 꾸며주는 형용사 important 앞에 쓴다.

Sentence Writing
p. 92

A **01** I finished my homework very quickly.
02 Unfortunately, we got up too late.
03 He came back home so early yesterday.
04 Was your sister really sick?

B **01** They are sitting in the chairs quietly.
02 Luckily, he found the theater easily.
03 Sam solved the question simply.
04 His story was so exciting.
05 Our English class ended late today.

A **01 · 03** 부사는 꾸며주는 동사 뒤에 오고, 다른 부사를 꾸며주는 경우 꾸며주는 부사 앞에 온다. **02** 부사가 문장 전체를 꾸며주는 경우 문장 맨 앞에 오고, 다른 부사를 꾸며주는 경우 꾸며주는 부사 앞에 온다. **04** 부사가 형용사를 꾸며주는 경우 꾸며주는 형용사 앞에 온다.

B **01 · 03 · 05** 부사가 동사를 꾸며주는 경우 꾸며주는 동사 뒤에 쓴다.
02 부사가 문장 전체를 꾸며주는 경우 문장 맨 앞에 쓰고, 동사를 꾸며주는 경우 꾸며주는 동사 뒤에 쓴다. **04** 부사가 형용사를 꾸며주는 경우 꾸며주는 형용사 앞에 쓴다.

Self-Study
p. 93

A **01** wisely **02** very well **03** late
04 Suddenly **05** strange

B **01** heavily **02** hard, too **03** Fortunately, fast, early

C **01** I entered his room carefully.
02 The shop doesn't open early in the morning.
03 Her dress looks really expensive.
04 Surprisingly, Mr. Brown speaks Korean very well.

A **01** 나의 어머니는 돈을 아주 현명하게 쓰신다.
02 많은 사람들은 그녀를 매우 잘 안다.
03 그 기차는 너무 늦게 도착했다.
04 갑자기, 그녀는 눈을 떴다.
05 그의 목소리는 오늘 이상하게 들렸다.

01 동사를 꾸며주면서 다른 부사 so의 꾸밈을 받는 부사 wisely가 와야 한다.
02 동사를 꾸며주면서 다른 부사 very의 꾸밈을 받는 부사 well이 와야 한다.
03 동사를 꾸며주면서 다른 부사 too의 꾸밈을 받는 부사 late가 와야 한다.
04 문장 맨 앞에 와서 문장 전체를 꾸며주고 있으므로 부사 Suddenly가 와야 한다. **05** 동사 뒤에 와서 주어를 보충 설명해주고 있으므로 형용사 strange가 와야 한다.

B **01** 동사 뒤에 와서 동사를 꾸며주는 부사 heavily를 쓴다. **02** 동사 뒤에 와서 동사를 꾸며주는 부사 hard를 쓰고, 형용사를 꾸며주는 부사 too는 difficult 앞에 쓴다. **03** 문장 맨 앞에 문장 전체를 꾸며주는 부사 Fortunately를 쓰고, 동사를 꾸며주는 부사 fast와 early는 꾸며주는 동사 뒤에 쓴다.

C **01 · 02** 부사가 동사를 꾸며주는 경우 꾸며주는 동사 뒤에 쓴다. **03** 부사가 형용사를 꾸며주는 경우 꾸며주는 형용사 앞에 쓴다. **04** 부사가 문장 전체를 꾸며주는 경우 문장 맨 앞에 쓰고, 다른 부사를 꾸며주는 경우 꾸며주는 부사 앞에 쓴다.

Grammar Practice I
p. 95

A
01 sometimes looks
02 are usually
03 can often go
04 plays
05 often drink
06 is usually
07 will never
08 often makes
09 is sometimes
10 never ask

B
01 I usually go to bed at 10 o'clock.
02 James is often sleepy in the afternoon.
03 He will never say sorry to anyone.
04 Your advice is always helpful.
05 He usually brushes his teeth after meals.
06 Are they sometimes late for school?
07 My father sometimes goes to work on Saturday.
08 She never eats junk food.
09 Do you often visit your grandparents?
10 You can always trust me.

A
01 네 남동생은 때때로 화가 나 보인다.
02 그들은 대개 도서관에 있다.
03 나는 종종 영화를 보러 갈 수 있다.
04 그는 방과 후에 항상 축구를 한다.
05 그녀는 커피를 자주 마시니?
06 가을에 하늘은 대개 파랗다.
07 우리는 결코 너를 잊지 않을 것이다.
08 그것은 종종 이상한 소리를 낸다.
09 내 여동생은 가끔 게으르다.
10 너는 결코 질문을 하지 않는다.

01 · 08 · 10 빈도부사는 일반동사 앞에 온다. 02 · 06 · 09 빈도부사는 be동사 뒤에 온다. 03 · 07 빈도부사는 조동사 뒤에 온다. 04 빈도부사는 부사이므로 주어가 3인칭 단수일 때 일반동사의 현재 단수형이 와야 한다. 05 의문문에서 빈도부사는 주어 뒤에 온다.

B 보기 그녀는 밤에 결코 피아노를 치지 않는다.
01 나는 보통 10시 정각에 잠자리에 든다.
02 James는 종종 오후에 졸린다.
03 그는 누구에게도 미안하다는 말을 결코 하지 않을 것이다.
04 너의 충고는 항상 도움이 된다.
05 그는 대개 식사 후에 이를 닦는다.
06 그들은 가끔 학교에 지각하니?
07 나의 아버지는 가끔 토요일에 출근하신다.
08 그녀는 결코 정크 푸드를 먹지 않는다.
09 너는 종종 조부모님을 방문하니?
10 너는 항상 나를 믿어도 된다.

01 · 05 · 07 · 08 빈도부사는 일반동사 앞에 쓴다. 02 · 04 빈도부사는 be동사 뒤에 쓴다. 03 · 10 빈도부사는 조동사 뒤에 쓴다. 06 · 09 의문문에서 빈도부사는 주어 뒤에 쓴다.

Grammar Practice II
p. 96

A
01 is usually
02 does
03 can sometimes
04 never tells lies
05 your friends always
06 will often help
07 you sometimes play
08 is always
09 your father usually
10 can never finish

B
01 My brother always wears jeans and a T-shirt.
02 We will always study hard.
03 They are always nice to me.

04 Is George always honest?
05 Do you always take a shower in the morning?

A
01 그 학생은 대개 조용하다.
02 그는 종종 방과 후에 숙제를 한다.
03 우리는 가끔 하이킹을 갈 수 있다.
04 그녀는 결코 거짓말을 하지 않는다.
05 너의 친구들은 항상 시간을 잘 지키니?
06 나는 종종 어머니를 도울 것이다.
07 너는 때때로 그와 놀 수 있니?
08 소나무는 항상 푸르다.
09 너의 아버지는 보통 아침을 드시니?
10 그들은 결코 그들의 일을 끝낼 수 없다.

01 · 08 빈도부사는 be동사 뒤에 와야 한다. 02 빈도부사는 부사이므로 주어가 3인칭 단수일 때 일반동사의 현재 단수형 does가 와야 한다. 03 · 06 · 10 빈도부사는 조동사 뒤에 와야 한다. 04 빈도부사는 일반동사 앞에 와야 한다. 05 · 07 · 09 의문문에서 빈도부사는 주어 뒤에 와야 한다.

B 보기 나는 항상 행복하다.
01 내 남동생은 항상 청바지와 티셔츠를 입는다.
02 우리는 항상 열심히 공부할 것이다.
03 그들은 항상 나에게 잘해준다.
04 George는 항상 정직하니?
05 너는 항상 아침에 샤워하니?

01 긍정문에서 빈도부사는 일반동사 앞에 쓰는데, 주어가 3인칭 단수이므로 일반동사의 현재 단수형 wears를 쓴다. 02 긍정문에서 빈도부사는 조동사 뒤에 쓴다. 03 긍정문에서 빈도부사는 be동사 뒤에 쓰고, 주어가 복수이므로 be동사는 are를 쓴다. 04 의문문에서 빈도부사는 주어 뒤에 쓰고, 주어가 3인칭 단수이므로 be동사 Is를 문장 맨 앞에 쓴다. 05 의문문에서 빈도부사는 주어 뒤에 쓰고, 주어가 you이므로 일반동사 Do를 문장 맨 앞에 쓴다.

Prep Writing
p. 97

A
01 are, sometimes
02 will, never, meet
03 often, hunt
04 Is, usually
05 always, rises, sets

B
01 The train timetable is often wrong.
02 Do you usually go to school by bus?
03 My uncle always welcomes us.
04 Everyone can sometimes make a mistake.
05 The twins never fight with each other.

A 01 빈도부사 sometimes를 be동사 are 뒤에 쓴다. 02 빈도부사 never를 조동사 will 뒤에 쓰고, 뒤에는 동사원형을 쓴다. 03 의문문에서 빈도부사 often은 주어 뒤에 쓰고, 뒤에는 동사원형을 쓴다. 04 주어가 it인 be동사의 의문문으로 Is를 문장 맨 앞에 쓰고, 빈도부사 usually를 주어 뒤에 쓴다. 05 빈도부사 always를 일반동사 앞에 쓰고, 주어가 3인칭 단수이므로 일반동사의 현재 단수형 rises, sets를 쓴다.

B 01 그 기차 시간표는 틀리다. → 그 기차 시간표는 종종 틀리다.
02 너는 버스를 타고 학교에 가니? → 너는 보통 버스를 타고 학교에 가니?
03 나의 삼촌은 우리를 환영해주신다.
→ 나의 삼촌은 항상 우리를 환영해주신다.
04 모든 사람은 실수를 할 수 있다.
→ 모든 사람은 때때로 실수를 할 수 있다.
05 그 쌍둥이들은 서로 싸운다. → 그 쌍둥이들은 결코 서로 싸우지 않는다.

01 빈도부사는 be동사 뒤에 와야 한다. 02 의문문에서 빈도부사는 주어 뒤에 와야 한다. 03 · 05 빈도부사는 일반동사 앞에 와야 한다. 04 빈도부사는 조동사 뒤에 와야 한다.

A
01 He often watches movies on Saturday.
02 She will never come back again.
03 Are your friends always in the library?
04 It is usually cold and snowy in winter.

B
01 I will always remember you.
02 Koreans are usually diligent.
03 We sometimes go to the amusement park.
04 Does she often borrow your books?
05 My mother never gets angry.

A 01 빈도부사는 일반동사 앞에 쓴다. 02 빈도부사는 조동사 뒤에 쓴다. 03 be동사의 의문문에서 빈도부사는 주어 뒤에 쓰고, 주어가 복수이므로 be동사 Are로 문장을 시작한다. 04 빈도부사는 be동사 뒤에 쓴다.

B 01 빈도부사는 조동사 뒤에 쓰고, 뒤에는 동사원형이 온다. 02 빈도부사는 be동사 뒤에 쓴다. 03 빈도부사는 일반동사 앞에 쓴다. 04 의문문에서 빈도부사는 주어 뒤에 쓰고, 뒤에는 동사원형이 온다. 05 빈도부사는 일반동사 앞에 쓰고, 주어가 3인칭 단수이므로 일반동사의 현재 단수형을 쓴다.

Self-Study   p. 99

A
01 usually leaves   02 is often
03 will always   04 drinks
05 it sometimes

B 01 will, always, do   02 usually, reads   03 Is, sometimes

C
01 His plans are always surprising.
02 David sometimes goes to school by bike.
03 You will never fail the test.
04 Does she usually listen to music at night?

A 01 그 기차는 대개 제시간에 출발한다.
02 그 공원은 종종 붐빈다.
03 나는 항상 네 비밀을 지킬 것이다.
04 나의 어머니는 밤에 절대 커피를 마시지 않으신다.
05 겨울에 가끔 눈이 오니?

01 빈도부사는 일반동사 앞에 온다. 02 빈도부사는 be동사 뒤에 온다. 03 빈도부사는 조동사 뒤에 온다. 04 빈도부사는 부사이므로 주어가 3인칭 단수일 때 일반동사의 현재 단수형이 와야 한다. 05 의문문에서 빈도부사는 주어 뒤에 온다.

B 01 빈도부사는 조동사 뒤에 쓰고, 뒤에는 동사원형을 쓴다. 02 빈도부사는 일반동사 앞에 쓰고, 주어가 3인칭 단수일 때 일반동사의 현재 단수형을 쓴다. 03 주어가 she인 be동사의 의문문으로 Is를 문장 맨 앞에 쓰고, 빈도부사는 주어 뒤에 쓴다.

C 01 빈도부사는 be동사 뒤에 쓴다. 02 빈도부사는 일반동사 앞에 쓰고, 주어가 3인칭 단수일 때 일반동사의 현재 단수형을 쓴다. 03 빈도부사는 조동사 뒤에 쓰고, 뒤에는 동사원형을 쓴다. 04 의문문에서 빈도부사는 주어 뒤에 쓰고, 뒤에는 동사원형을 쓴다.

01 ④ 02 ③ 03 ② 04 ② 05 ⑤ 06 ③ 07 ③ 08 ⑤
09 ⑤ 10 ① 11 ② 12 ②
13 My brother solved the puzzle very easily.
14 Does he sometimes go to the swimming pool?
15 He sometimes laughs very loudly.
16 Does your mother always think seriously?
17 Sarah will never forgive him.
18 always, eat 19 am, never 20 are, always
21 sometimes, exercise 22 often, get

01 나의 어머니는 노래를 매우 잘/아름답게/부드럽게/다정하게 부르신다.
동사를 꾸며주면서 다른 부사 very의 수식을 받고 있으므로 부사가 들어갈 수 있다.

02 그는 주말에 항상 일찍 일어난다/결코 일찍 일어나지 않는다/종종 일찍 일어난다/보통 일찍 일어난다.
빈도부사는 일반동사 앞에 오는데, sometime은 빈도부사가 아니라 '언젠가'라는 의미의 부사이다.

03 그는 학교에 늦었다. 그래서 그는 매우 빨리 걷는다.
동사 walks를 꾸며주면서 다른 부사 very의 수식을 받고 있으므로 부사 quickly가 와야 한다.

04 A: 그녀는 항상 아침을 먹니?
B: 응, 그래. 그녀는 아침으로 종종 토스트를 먹어.
빈도부사는 일반동사 앞에 오고, 주어가 3인칭 단수일 때 일반동사의 현재 단수형을 써야 하므로 often eats가 알맞다.

05 · 그녀의 충고는 항상 매우 도움이 된다.
· 독수리는 아주 높이 날 수 있다.
· 운 좋게도, 그는 길에서 약간의 돈을 발견했다.
첫 번째 문장에서는 형용사 helpful을 꾸며주는 부사 very가 형용사 앞에 오고, 두 번째 문장에서는 동사 fly를 꾸며주면서 다른 부사 so의 수식을 받는 부사 high가 so 뒤에 오고, 세 번째 문장에서는 문장 전체를 꾸며주는 부사 Luckily가 문장 맨 앞에 온다.

06 ① 내 여동생은 매우 빨리 달릴 수 있다.
② James는 때때로 너무 빨리 말한다.
③ 그의 새 차는 정말 빠르다.
④ 그녀는 점심을 빨리 먹었니?
⑤ 그는 차를 아주 빨리 운전했다.
fast는 형용사와 부사의 형태가 같은데 ① ② ④ ⑤의 fast는 부사로 쓰이고 있고 ③의 fast는 형용사로 쓰이고 있다.

07 ① 그녀는 대개 나에게 잘해준다.
② 네 여동생은 종종 거짓말을 하니?
③ 나는 결코 학교에 결석하지 않을 것이다.
④ 그는 항상 공손하니?
⑤ 그들은 때때로 방과 후에 게임을 한다.
③ will be never → will never be
빈도부사는 조동사 뒤에 오고, 뒤에는 동사원형이 온다.

08 ① 그들은 그렇게 아름다웠니?
② 나는 그 꽃병을 매우 조심스럽게 만졌다.
③ 그 아기는 종종 밤에 운다.
④ 우리는 그것을 결코 잊지 않을 것이다.
⑤ 네 여동생은 항상 상냥하니?
① so beautifully → so beautiful ② careful → carefully ③ often cry → often cries ④ will forget never → will never forget

09 ① 기쁘게도, 그는 오늘 일찍 돌아왔다.
   ② 너는 종종 질문을 하니?
   ③ 그녀는 영어를 매우 잘한다.
   ④ 나의 어머니는 항상 바쁘시다.
   ⑤ 나는 대개 일요일에 늦게 일어난다.
   ⑤ lately → late

10 ① Fortunate → Fortunately
   문장 맨 앞에 와서 문장 전체를 꾸며주는 부사가 와야 한다.

11 ② look → looks
   빈도부사는 부사이므로 주어가 3인칭 단수일 때 일반동사의 현재 단수형이 와야
   한다.

12 ① earlily → early   ③ always it → it always   ④ listen → listens
   ⑤ Sad → Sadly

13 내 남동생은 그 퍼즐을 매우 쉽게 풀었다.
   동사 solved를 꾸며주면서 다른 부사 very의 수식을 받고 있으므로 부사
   easily를 써야 한다.

14 그는 때때로 그 수영장에 가니?
   의문문에서 빈도부사는 주어 뒤에 온다.

15 빈도부사는 일반동사 앞에 쓰고, 주어가 3인칭 단수일 때 일반동사의 현재
   단수형을 쓴다. 동사를 꾸며주는 부사 loudly는 동사 뒤, 꾸며주는 부사 very
   뒤에 쓴다.

16 의문문에서 빈도부사는 주어 뒤에 쓰고, 뒤에는 동사원형을 쓴다. 동사를
   꾸며주는 부사는 동사 뒤에 쓴다.

17 빈도부사는 조동사 뒤에 쓰고, 뒤에는 동사원형이 온다.

18 Kate 너는 얼마나 자주 아침을 먹니?   Tom 나는 항상 아침을 먹어.

19 Kate 너는 얼마나 자주 학교에 지각하니?
   Tom 나는 결코 학교에 지각하지 않아.

20 Kate 너의 부모님은 바쁘시니?   Tom 응, 그들은 항상 바쁘셔.

21 Kate 너의 부모님은 얼마나 자주 운동하시니?
   Tom 그들은 가끔 운동하셔.

22 Kate 너의 부모님은 일찍 일어나시니?
   Tom 응, 그들은 종종 일찍 일어나셔.

   18 · 19 · 20 · 21 · 22 빈도부사는 일반동사 앞에, be동사 뒤에 쓴다.

문법 탄탄

○ 정답 및 해설

문장의 기본편 ②

WRITING 2

기초 영문법이 탄탄해지면 영작 실력도 쑥쑥 자란다!

✿ 기초 영문법을 토대로 단계적인 영어문장 쓰기 학습
✿ 올바른 영어문장 쓰기를 위한 명쾌한 영문법 설명
✿ 유용한 영어문장을 충분히 써 볼 수 있도록 다양한 문제 수록
✿ 기본 문장에서 확장된 문장 쓰기를 위한 체계적 4단계 구성
✿ 학교 내신 및 서술형 시험 대비를 위한 평가 유형 반영

문법 탄탄 WRITING 시리즈

- ☐ 문법 탄탄 WRITING 1 문장의 기본편 ❶
- ☑ 문법 탄탄 WRITING 2 문장의 기본편 ❷
- ☐ 문법 탄탄 WRITING 3 문장의 확장편 ❶
- ☐ 문법 탄탄 WRITING 4 문장의 확장편 ❷